KB066171

파리, 런던으로 떠나는 서유럽 문명 기행

김종천·김태균 지음

어문학사

들어가며

해외여행을 하다 보면 나라마다 사람들의 생김새는 달라도 차림새는 비슷하다는 것을 느끼게 된다. 대도시에서 사람들은 아침이면 자동차나 전차를 타고 일터나 학교로 간다. 저녁이면 가족들이 TV 앞에 앉아서 이야기를 나눈다. 전 세계 어디를 가나 사람 사는 모습은 점점 더 닮아가고 있다. 오늘날 흔히 세계화라고 불리는 이런 현상은 이미 19세기에 시작되었는데, 근대에 유럽의 서부 지역에서 발전한 문명이 전 세계로 퍼져나가면서 다른 문명권의 사람들이 자의 반 타의 반으로 이 문명을 모방하게 된 것이었다. 어쨌든 이로 인해 오늘날 전 세계인의 보편적인 생활양식이 출현하였다.

고대와 중세 시대에는 문명적으로 낙후했던 유라시아 대륙의 서쪽 끝 지역이 근대에 들어서 찬란한 문명을 꽃피운 사연은 참으로 흥미롭고 놀라운 이야기이다. 그래서 우리는 책상을 떠나 현지에서 그 경이로운 이야기를 오감으로 체험하고 생생하게 기록하여 독자들에게 전달하겠다는 의도로 길을 떠났다. 그러나 우리들의 여행은 멀고 힘든 고행길이었다. 두 발로 헤매고 다니면서 피로에 절었던 그 길에서 때때로 몽테뉴가 했던 말을 떠올리며 힘을 냈고, 짬짬이 밀려온 정취로 피로를 씻고 황홀경에 빠지기도 하였다.

"내가 여행을 떠나는 것은 돌아오기 위함도 아니요, 끝까지 가기 위함도 아니다. 단지 움직이고 걷는 것이 좋아 움직이고 걸을 뿐이다."*

몽마르트 언덕과 에펠탑에서 시가지를 내려다보며 느낀 희열은 고된 행군을 거친 사람만이 맛볼 수 있는 값진 체험이었다. 우리는 타워 브리지에서 템스강 변의 전경을 바라보면서 여정의 종점에 도달했음을 자축하기도 했다.

그랬음에도 웅장하고 화려한 건축물과 수많은 예술 작품에 담겨 있는 서구 근대 문명의 참모습을 제대로 느끼기에는 우리의 발과 눈이 부족했음을 고백하고 싶다.

문명의 발전은 흔히 강이나 바다와 밀접하게 연관되어 있다. 지중해 연안에서 서양의 고전 문명이 탄생했고, 대서양 연안에서 서구 근대 문명이 발전하였다. 대서양은 고대와 중세에 유럽인에게 '어둠의 바다'였으며 공포와 신화의 대상이었다. 하지만 근대에 들어서 대서양은 동방무역을 통해 부를 얻고자 했던 유럽인에게 '기회의 바다'가 되었다. 1492년에 콜럼버스가 대서양을 서쪽으로 돌아서 동양으로 가려다가 우연히 신대륙을 발견하게 되었고, 1498년에는 바스코 다 가마가 대서양을 남쪽으로 돌아서 인도 항로를 발견했다.

* 몽테뉴, 『몽테뉴의 수상록』, 메이트북스

"유럽인이 몸소 성공한 것은 대서양의 발견이다. 그들은 이 곳의 힘겨운 바닷길, 물결, 바람을 정복했다. 이 뒤늦은 성공으로 세계의 7대양으로 가는 문과 길이 열렸다."*

이로 인해 오랜 세월 동안 서양 문명의 중심지였던 지중해 연안은 황혼에 물들었고, 반면 대서양 연안은 서양 문명의 새로운 중심지로 떠올랐다. 중세 시대에 사후 천국행만을 생각하며 살았던 서구인은 근대에 이르러서 현세의 삶을 더 중시하게 되었고, 이와 함께 이성과 합리성이라는 새로운 사고를 기반으로 학문과 기술을 발전시켜 풍요하고 민주적인 사회를 견인하였다.

문명은 도시에서 태어나고 성장한다. 고대 그리스의 도시에서 서양 문명의 뿌리인 고전 문명이 탄생했고, 르네상스 시대에는 이탈리아의 도시에서 고전 문명이 부활하였다. 그리고 우리가 이번 여행에서 두 발로 체험했던 파리와 런던에서는 서구 근대 문명이 화려하게 꽃을 피웠다. 이 도시들에는 근대에 수백 년에 걸쳐서 발전한 문명의 자취가 지금까지 풍성하게 남아있고, 이와 연관된 숱한 이야기가 전해지고 있다. 그래서인지 보고 들을 것들이 너무도 많아서 우리의 오감으로 다 담기에는 역부족이었음을 고백하고 싶다.

우리가 찾아간 곳이 이미 널리 알려진 명소들이라, 독자들 눈에 식상하게 느껴질지도 모른다. 하지만 자칫 눈요깃감 또는 기념사진

* 페르낭 브로델, 『물질문명과 자본주의 I-1』, 까치

의 배경 정도로 여겨지기 쉬운 이 명소들은, 우리의 소개 안에서 서구 근대 문명의 생생한 이야깃거리로 다시 태어났다. 우리들의 이번 기행이 장님 코끼리 만지기가 되지 않았다고 장담할 수는 없겠지만, 단지 이로써 근대 서구 문명의 실체가 독자들에게 조금이라도 흥미롭게 다가갈 수 있기를 바랄 뿐이다. 더불어서 우리들의 기행이 서유럽 여행을 계획하는 독자들에게 길잡이가 된다면 우리에게는 큰 보람이 될 것이다. 코로나 이후 시대는 해외여행의 전성기가 되지 않을까 하는 예상을 조심스럽게 해보면서 우리들의 이야기 보따리를 풀어보려 한다.

목차

파리

3년 만의 출국이라는 설렘을 안고 인천국제공항에 도착했다. 코로나 이전에 해외여행을 가기 위해서는 예정된 비행 탑승 시간보다 3~4시간 일찍 공항에 도착해야만 출국 및 탑승 절차를 원활하게 할 수 있었다. 하지만 코로나 이후 공항은 이전보다는 확실히 덜 붐비는 것을 느낄 수 있었다.

비행기 이륙 후에 총 비행 예정 시간이 14시간이나 되는 것을 알고는 의문에 빠졌다. 과거 비행 시간과 상당한 차이가 있었기 때문이다. 그런데 도착할 때 즈음에야 좌석 앞 스크린의 비행 경로를 보고 나서 의문이 풀렸다. 우크라이나와 러시아의 전쟁 때문에 단거리 코스로 가지 못하고 우회해서 가기 때문이었다. 그래서 우리는 긴 비행 시간으로 인해 지친 몸으로 드골 공항에 내렸다.

> "근대의 파리는 그 어느 곳과도 비교할 수 없는 생활양식, 정신, 멋과 우아함을 펼쳐 보이는 유럽의 중심지였다. 화가, 작가, 의상 디자이너 그리고 그 밖에 많은 예술가가 파리로 몰려들었다."*

* 막스 크루제, 『시간여행 3』, 이끌리오

파리의 전경

이 세상에 아름다운 도시는 많다. 그런데 아름다움에다가 찬란한 역사와 문명 그리고 낭만적인 분위기까지 어우러진 파리를 능가할 만한 도시는 이 세상에 없을 듯하다. 그래서인지 파리는 전 세계인의 사랑을 받으며 해외 관광의 1번지로 군림하고 있다. 파리를 찾은 여행객들이 이 도시를 체험하고 즐기는 방식은 천차만별이다. 어떤 이는 카페의 낭만을 찾아다니고, 다른 이는 예술을 음미하며 돌아다닌다. 우리의 경우에는 역사를 따라가는 여정을 택했다. 그 길에서 문명이라는 바구니에 담겨있는 모든 것을 맛볼 수 있기 때문이었다. 문명은 역사의 나무에서 성장하고 익어가는 열매이기에 문명 기행은 역사를 따라가는 길에서의 체험이다.

Ⅰ. 대혁명 이전 시대의 자취

파리는 BC 3세기에 켈트족의 정착지였다고 추정되지만, 역사에 처음으로 등장한 것은 BC 1세기 로마의 영웅 카이사르의 갈리아 정복과 함께였다. 그리고 5세기에 들어 게르만계 프랑크족이 세운 프랑크 왕국의 첫 번째 왕조인 메로빙거 왕조에서 파리는 지역의 중심 도시가 되었다. 프랑크 왕국의 세 번째 왕조인 카페 왕조에서 파리는 마침내 왕국 전체의 공식 수도가 되었다. 987년에 귀족들의 추대를 받아 프랑크 국왕이 된 위그 카페의 본거지가 바로 파리였기 때문이다. 카페 왕조는 방계인 발루아 왕조와 부르봉 왕조를 합치면 프랑스를 가장 오래 통치한 왕가이고, 이와 함께 파리도 오랫동안 수도로 군림해왔다.

평지인 파리 구시가지 한복판을 흐르는 센강의 남, 북측 연안에 주요 명소들이 포진하고 있다. 그만큼 파리의 발전은 센강과 밀접하게 연결되어 있었다.

일찍이 12~13세기에는 센강의 강기슭에 성벽이 건설되었고, 인근의 강변로에 시장이 생겨나면서 상인들로 북적였다. 파리 교외

센강과 강변로의 전경

의 농민들이 작은 짐수레에 채소와 과일을 싣고 들어오고, 행상들이 생선을 들고 다니며 이곳에서 팔기도 했다고 한다. 장사꾼들이 외치는 소리와 장 보러 나온 하녀들의 수다로 항상 시끌벅적했던 장소다.

근대에 들어와 파리를 크게 변화시킨 사람은 부르봉 왕조의 루이 14세(재위 1643~1715)이다. 그는 파리의 거리에 가로등을 설치하고 상수도 시설을 개선했으며, 또한 대형 병원들을 설립하였다. 그 밖에도 그는 도시를 둘러싸고 있는 성벽을 철거하고 그 자리에 순환도로를 건설하였다.

절대군주로 유명한 그의 차림(긴 가발, 스타킹, 하이힐 등)은 현대인의 시각에서 보면 남자답지 못하지만, 그 시대의 유럽에서는 남자다움의 극치로 여겨졌다. 화려함과 현란함이야말로 최고의 남성미로 간주되었기 때문이다.

이아생트 리고, <왕실복을 입고 있는 프랑스의 왕, 루이 14세>

화려함에서 남에게 뒤지는 것을 참지 못하였던 루이 14세는 파리에서 남서쪽으로 22km 떨어져 있는 베르사유에 유럽에서 가장 크고 화려한 궁전을 짓고 그곳에서 생활하였다. 태양왕 루이 14세의 자취를 빨리 보고 싶었던 우리는 파리에 도착하자마자 베르사유 궁전 방문을 예약했다. 워낙 명소인지라 사전 입장권 구매는 물론 방문 시간까지 예약해야만 했다. 우리는 현지의 날씨를 고려해서 방문 날짜와 시간을 정하고 싶었기 때문에 입장권만 사전 구매했다. 하지만 현지에 와서 방문 시간을 예약하려고 하니 여간 까다롭지가 않았다. 이런 상황을 사전에 파악하고 베르사유 방문을 계획하는 것이 여행의 수고로움을 조금이나마 덜 수 있을 방법이다. 어쨌든 우여곡절 끝에 베르사유 방문 예약을 마친 다음 날, 호텔에서 아침 식사를 부랴부랴 마치고는 바로 베르사유 궁전으로 향했다. 세계 최고의 궁전을 사진이 아니라 실물로 본다는 설렘이 우리의 발길을 재촉하였다. 센강의 남쪽 기슭에 있었던 숙소 근처에서 지하철을 타고 출발하여 도중에 근교행 열차로 바꿔 탔더니, 숙소를 출발한 지 약 한 시간 만에 베르사유 역에 도착했다. 다시 도보로 몇 분을 걸었더니 웅장하고 화려한 대리석 건물의 군집이 눈에 들어왔다. 정문 앞마당에 있는 루이 14세의 기마상이 우리를 반기고 있었다.

베르사유 궁전 전경

① 베르사유 궁전

> 베르사유 궁전 건물과 대지는 루이 14세가 매일 의식을 거행하고 국왕의 위엄을 보여주면서 귀족들을 복종시키려고 최면을 거는 무대가 되었다.*

이 궁전은 17세기 중반부터 프랑스 대혁명이 발생한 18세기 말까지 프랑스 국왕의 거주지였다. 바로크 양식으로 지어진, 총 길이 500m가 넘는 궁전 건물은 유럽 궁전 건축의 최고봉으로 평가되고 있다. 게다가 17~18세기에 이 건물을 모방한 새로운 궁전을 건축하는 것이 유럽의 많은 왕가에서 유행했으니, 왕가의 질투심과 허영심에 불을 붙였던 궁전이라고도 볼 수 있다. 본시 바로크 양식의 근원지는 이탈리아로, 종교개혁 이후 멀어진 신도들의 눈길을 끌기 위해 가톨릭교회에서 시도한 화려한 성당 건축에서 출발했다. 하지만 그 양식의 정점에 도달한 것은 프랑스의 베르사유 궁전이다.

* 주디스 코핀, 『새로운 서양 문명의 역사 하권』, 소나무

"이 궁전이 건축되었던 17세기 바로크 시대의 특징은 무엇인가요?"
"자신이 남보다 우월하다는 것을 과시하려는 욕구가 컸던 시대였어. 그래서 화려한 축제, 체면, 사치, 치장 등을 바로크적인 풍속으로 들 수 있지."

1623년, 루이 13세가 사냥을 나갔을 때 숙식하기 위해 원래 시골이었던 이 지역에 작은 궁전을 하나 지었는데, 이 건물은 1631~1634년에 날개가 있는 초기 바로크 양식으로 확장되었다.

사냥 궁전과 대리석 중정

본관의 외관

루이 13세와 왕비 안 도트리슈는 결혼 23년 만에 첫 아이를 낳았는데, 이 아이는 불과 5살의 나이에 부왕의 죽음으로 보위에 올라 루이 14세가 되었다. 이와 함께 사냥 궁전은 루이 14세에게 상속되었다.

훗날에 그는 이전에 있었던 사냥 궁전을 개축하여 대리석 중정을 둘러싼 형태로 만들었으며, 이어서 1668~1671년에는 사냥 궁전을 둘러싸는 건물을 새로 지었다.

왕가의 주 생활공간인 본관(Corps de Logis)에서 왕가는 152개의 방을 사용했다고 한다. 왕가가 사용한 방 중에서 대표적인 것은 '왕의 방'과 '왕비의 방'으로, 현재 전시되고 있는 왕비의 방은 루이 16세의 왕비인 마리 앙투아네트가 사용할 때의 모습을 재현한 것이라고 한다.

왕의 방에서 가장 눈에 띄는 것은 벽면을 장식한 많은 그림과 화려한 가구였다. 방 전체가 황금빛으로 치장되어 있어 현란하였지만, 상대적으로 깊이와 무게감은 부족하였다. 실제로 루이 14세와 그의 후손들에게 인간적인 깊이는 존재하지 않았다.

왕비의 방에 들어서자마자 우리의 눈에 띄었던 것은 거대한 침실이었다. 침실이란 건물의 가장 안쪽 공간에 놓여있어야 한다는 보편적인 생각을 깨트리고 입구 가까이에 개방형의 침실이 꾸며져 있었다. 아마도 국왕 부부의 합궁을 가장 중요시했던 것은 아닐까 하는 추측이 들었다. 국왕 부부에게 가장 중요한 일은 자식을 낳아 대를 잇는 것이었을 테니까. 왕이 왕비의 방에 들어서면 바로 그 '대업'이 생각나도록 침대가 가장 먼저 눈에 띄게 한 것은 아니었을까.

왕의 방 왕비의 방

왕비의 방 벽면에 걸려있는 그림은 루이 16세의 왕비인 마리 앙투아네트가 자식들과 함께 있는 모습을 담은 것이다. 훗날에 겪을 엄청난 불행을 모르는 채 행복해 보이는 가족의 모습이 애처로웠다.

루이 14세는 스페인의 공주와 결혼했지만 수많은 여성과 애정 행각을 벌이고 싫증이 나면 버리기를 반복적으로 한 악질 바람둥이였다. 왕비의 임종 직전에 루이 14세는 "부인은 그 어떤 경우에도 나를 불편하게 하지 않았다"라며 감사의 말을 했지만, 왕비는 "결혼한 이후 단 하루도 행복한 날이 없었다"라는 차가운 말을 남기고 숨을 거두었다고 한다.* 부귀영화보다는 맘 편하게 사는 것이 행복이라는 뜻일 터이다.

본관 최고의 공간은 2층에 있는 '거울의 방'이다. 75m×10m 넓이의 통로인 이곳은 30개의 천장화와 357개의 거울로 화려하게 치장되어 있다. 거울의 방은 파티용 공간으로 사용되기도 했고, 창밖으로 정원을 보면서 걸을 수 있어 지붕이 있는 산책로의 역할도 하였다. 이 공간은 화려함과 예술성이 결합되어 있는 느낌을 준다. 바로크식 천장, 샹들리에, 금빛 조각상 등은 매우 화려하면서도 예술성이 곁들여져 천박하지는 않았다.

1871년 프랑스와의 전쟁에서 승리한 프로이센의 빌헬름 1세가 독일 황제로 즉위하면서 통일된 독일제국을 선포한 곳도, 1919년 제1차 세계대전 이후 연합국과 독일이 베르사유 평화조약을 체결

* 주경철, 『주경철의 유럽인 이야기 2. 근대의 빛과 그림자』, (주) 휴머니스트 출판그룹

거울의 방 전경

한 곳도 바로 이 공간이다. 이 공간의 형태와 화려함이 특별하듯이 이곳에 얽힌 역사적 사연도 극적이었다.

루이 14세는 궁정에서의 음모와 반란을 방지하기 위해 주변의 모든 사람을 통제하고 모든 일을 보고 듣고자 했다. 그렇다보니 궁전의 방들은 쉽게 눈에 띄도록 복도에서 직접 연결되어 있다. 소년왕 시절에 '프롱드의 난'이라고 불리는 귀족들의 반란을 겪은 탓에 루이 14세는 평생 귀족들을 의심하였다.

그는 귀족들을 베르사유 궁전에 머물게 했는데, 얼핏 보면 그들의 위신을 세워준 것 같았지만, 실제로는 영주인 그들이 지방에서 정치적인 세력을 키우는 것을 막는 역할을 하였다. 자연스럽게 귀족들은 국왕에게 맞서는 것보다는 아부하고 봉사하는 것이 남는 장

실내의 공간들

사라고 생각하게 되었다. 콩트 대공이라는 대귀족은 초년에는 국왕 루이 14세에게 반항했지만, 말년에는 국왕에게 아첨하면서 베르사유 정원의 호수에서 아름다운 여인들을 배에 태우고 노를 저으며 생을 마감했다고 한다.*

"귀족들이 처음부터 고분고분하지는 않았을 텐데, 그들이 어떻게 복종하게 되었나요?"

"루이 14세는 자신이 인정하는 귀족만이 특권을 누릴 수 있는 귀족 인증 제도를 실시했고, 제 맘대로 고위 공직자를 직접 임명했어. 그러니 귀족들이 국왕에게 잘 보이려고 강아지가 꼬리를 흔들듯이 아양을 떨었지."

* 시어도어 래브, 『르네상스의 마지막 날들』, 르네상스

왕실 예배당

루이 14세 통치하에 이 궁전에 마지막으로 지어진 건물은 왕실 예배당으로, 1710년에 완공된 북측 날개 건물에 위치하고 있다. 이 건물은 바로크 양식의 특징인 웅장함과 화려함이 절정에 이르렀다고 평가되고 있다. 루이 14세는 가톨릭 신앙심이 깊었고, 자신이 신에게서 특별한 권능을 부여받았다는 것을 백성들에게 보여주려고 하였다. 그래서 그는 가톨릭 축일에 환자들을 왕실 예배당으로 불러서 "짐이 그대를 만지니 신께서 그대를 낫게 하리라" 하면서 성호를 긋는 의례를 집행했다고 한다. 물론 이런 의례가 환자들에게 약발이 있었는지는 알려지지 않았다.

"루이 14세는 군주로서 비난받을 짓을 많이 했잖아요."

"그는 셀 수 없이 많은 전쟁을 일으켰고, 지나치게 사치스러웠으며 개신교도를 탄압했어. 그래서 국가 재정을 거덜 내고 백성들에게 고통을 안겨준 국왕이었지. 참, 그는 인생 말년에 죗값을 치렀어. 그의 부인, 아들, 손자까지 모두 먼저 죽어서 그는 몹시 외롭게 지냈고, 자신도 77세까지 장수하기는 했지만, 온갖 질병으로 심한 고통을 받았어."

루이 14세는 죽기 직전에 자신의 후계자인 증손자 루이 15세에게 이런 유언을 남겼다.

"아가, 너는 위대한 왕이 될 것이다. 건축물에 탐닉했던 짐의 취향을 닮지 마라. 전쟁을 좋아하는 점도 닮지 마라. 그와는 정반대로 이웃 나라와 화친하도록 노력해라..... 백성의 짐을 덜어주려고 노력해라. 애석하게도 짐은 그러지 못했느니라."*

* 주경철, 『주경철의 유럽인 이야기 2. 근대의 빛과 그림자』, (주)휴머니스트 출판그룹

정부 청사 건물

좀 더 일찍 깨달았으면 좋았을 것을 꼭 죽기 직전에야 깨닫는 것이 인간의 어리석음이던가.

1677년에 루이 14세는 정부 청사를 베르사유로 이전하기로 하고, 이를 위해 궁전 앞 광장의 최전방에 마주 보는 두 개 동의 정부 청사 건물을 지었다.

정부 청사가 들어선 이후 베르사유 궁전에서 일하는 사람의 수가 크게 늘어 1685년에는 약 3만 6천 명이나 되었다고 한다.

"베르사유의 궁정 문화는 당시 프랑스 사회에서 대단한 화제였다고 하던데요."

"베르사유 궁정 문화는 궁정에 초대받지 못한 귀족들과 귀족 사회를 동경한 시민계급의 열렬한 모방 대상으로서 새로운 유행을 창조하였지."

근대 초기의 유럽에서 시민계급은 언제나 귀족을 동경하고 모방하였지만, 실제로 귀족으로 격상된 사람은 극소수였다. 귀족이 되기 위해서는 일단 돈을 많이 벌어서 영지와 족보를 사거나 국왕에게 관직과 작위를 사야만 했다. 그리고 일단 귀족이 되고 나면 귀족 문화를 몸에 익혀야 했다. 루이 14세 시대의 베르사유 궁정 문화는 최첨단의 귀족 문화로, 신흥 귀족이 대접을 받기 위해서는 반드시 거쳐야 할 코스였다. 그리고 마침내 이 문화는 프랑스를 넘어 유럽의 중심 문화로 떠올랐다. 덕분에 18세기에 들어서는 유럽 전 지역의 왕족, 귀족, 지식인들 사이에서 프랑스어가 새로운 공용어로 부상하였다. 그래서 이 시대에는 프랑스 출신 가정교사나 보모가 유럽 전역에서 인기를 끌었다고 한다.

궁전 구경을 대강 마치고 정원으로 나가려던 참에 보슬비가 내리기 시작하였다. 우리는 궁전의 남측 날개 건물 2층에 있는 휴게실에 들어가서 날씨가 갤 때까지 잠시 쉬기로 했다. 휴게실은 고풍스러운 건물에 현대적인 단출함이 결합된 공간으로 차나 음료수를 마시며 잠시 쉬기에 알맞은 편안하고 낭만적인 장소였다. 우리처럼 잠시 휴식을 즐기는 사람들이 많이 모여 있었는데, 특이한 점은 어린이를 동반한 가족들이 많았다는 것이다. 문화유산에 대한 살아있는 체험이야말로 어린이들에게 최고의 교육이 아닐까 하는 생각이 들었다. 우리는 이곳에서 맥주를 마시며 틈틈이 창밖으로 눈길을 돌려 기상 상태를 확인하면서 한 시간 정도를 보냈다. 그리고 마침내 날씨가 개었을 때 우리의 발길은 바로 정원으로 향하였다.

정원의 전경

루이 13세 시절에 최초로 만들어졌던 궁전 정원은 루이 14세 시대였던 1662~1689년에 세 번의 확장 공사를 거쳐서 지금의 형태가 되었다.

궁전 정원은 몇 개의 바로크 양식 정원들로 구성되었으며, 약 7만 5천 그루의 나무로 치장되어 있다. 사냥 숲은 수천 헥타르의 면적을 보유하고 있는 가장 큰 정원이다.

"이 정원을 보면 규격을 딱 맞춘 정형미가 강한 것 같아요. 이것이 바로크 정원의 특징인가요?"
"바로크 시대에는 사람들이 자연에 인간의 예술적인 손길이 닿으면 아름다워진다고 생각했기에 이런 정원 양식이 나타난 것이지."

레토 분수

정원의 또 다른 아름다움을 느낄 수 있는 곳으로 그리스 신화를 묘사한 '레토 분수'를 들 수 있다. 레토는 제우스의 사랑을 받아서 쌍둥이 남매인 아르테미스와 아폴론을 낳은 여신이다. 레토가 제우스의 아이를 임신했다는 사실을 전해 들은 제우스의 아내 헤라는 분노하여 레토가 그리스의 본토나 섬 어디에서도 몸을 풀지 못하도록 했다. 만삭이 된 레토는 아이를 낳을 땅을 찾아다니다 에게해에 떠 있는 섬인 델로스에 도착했다.

레토는 델로스가 아이를 낳을 자리가 되어준다면, 그 섬이 영광스러운 성지로 숭배를 받게 될 것이라고 약속했다. 결국에 레토는 델로스에서 아르테미스와 아폴론을 출산하였다. 레토의 약속대로 델로스는 아폴론 탄생의 성지가 되었고, 그곳에 아폴론 신전이 세워졌다.

대운하

정원에서 멀리 보이는 '대운하'라는 명칭의 호수는 정원의 꽃이라고 불릴 만큼 아름다운 주변 경관을 갖고 있다. 이곳에서는 왕과 귀족들이 여인들을 태우고 뱃놀이를 했다고 한다.

북쪽 정원에는 '피라미드'라고 불리는 조형물이 있는데, 이는 위로 갈수록 좁아지고 꼭대기에 있는 중심축에서 물이 쏟아져 아래로 흘러내리는 형상이다. 이 조형물은 4층의 탑과 유사한 형태로, 탑의 아래층부터 트리톤, 돌고래 그리고 가재가 조각되어 있다. 트리톤은 그리스 신화에 등장하는 바다의 신 중 하나로 포세이돈과 그의 아내 암피트리테 사이에서 태어난 아들이다. 트리톤은 상반신이 인간이고 하반신이 물고기인 인어의 모습이다. 우리가 이곳에 도착했을 때는 겨울이라 그런지 물이 쏟아지지는 않았지만, 피라미드의 형상이 예술성을 지니고 있음을 알 수 있었다.

피라미드

피라미드에서 언덕 아래로 내려오면 화려한 조각으로 뒤덮인 '넵튠의 분수'가 위용을 자랑하고 있다. 바다의 신 넵튠이 괴물을 잡는 형상이라고 한다. 겨울을 맞아 시행된 보수 공사 때문에 아폴론 분수를 보지 못해 섭섭했던 우리의 마음을, 화려함과 위용을 지닌 조형물이 달래주는 듯했다.

"1783년 베르사유 궁전 정원에서 흥미로운 사건이 있었어."

"그게 무엇이었나요?"

"국왕 루이 16세와 왕비 마리 앙투아네트가 참가한 가운데 이곳에서 가축들을 실은 열기구(풍선)를 하늘로 띄우는 실험을 거행한 거야."

"재미있네요. 결과는 어떻게 되었죠?"

"하늘로 올라간 열기구가 10분 동안 떠다니다가 바람에 휩

넵튠의 분수

쓸려 풍선이 찢기면서 숲속으로 추락했어. 당시에는 성공 이라고는 볼 수 없었지만, 훗날에는 이 사건이 우주항공 시대의 개막식이었다는 말이 나왔지."

을씨년스러운 데다가 비와 햇살이 잠시 교대하였던 변덕스러운 겨울 날씨 때문에 베르사유 궁전의 분위기는 설렁했지만, 관람객 수가 적어서 구경하고 사진을 찍기에는 편했다.

우리의 여정은 파리에 있는 중세의 자취를 찾는 일로 이어졌다. 기독교가 지배했던 중세 유럽의 전역에서 최고의 건물은 주로 성당 이었다. 파리에 있는 노트르담 대성당도 중세에 건축되어 지금까지 오랫동안 명성을 누리고 있다.

② 노트르담 대성당

이 기적과 같은 건물들은(고딕 성당) 아주 멀리서 보아도 마치 하늘의 영광을 대변하는 것처럼 보인다. 아마도 이런 건물 중에서 가장 완벽한 것으로는 파리의 노트르담 대성당의 정면을 꼽을 수 있을 것이다.*

노트르담 대성당 야경(Wikipedia)

* E.H. 곰브리치, 『서양미술사』, 예경

중세 유럽의 가톨릭교회 신자에게는 1년에 한 번, 사제에게 고해하고 면죄에 대한 물질적 급부를 지급할 의무가 부과되어 있었다. 죽어서 천국에 가는 것만을 소망하고 살아갔던 중세 유럽인들에게 교회를 통한 사면은 너무도 중요한 사안이었다. 그래서 이 시대에 부패한 성직자 집단은 '천국의 문고리를 쥐고 있는 독점적인 세력'으로서 온갖 비리와 악행을 저질렀다. 종교개혁 시대였던 16세기에는 가톨릭교도와 개신교도 사이의 갈등으로 유럽이 피바다가 되었다. 1572년 파리 한복판에서 벌어진 '생 바르톨로메오 학살'은 당대의 종교 갈등이 빚은 끔찍한 사건 중 하나로, 이때 파리에서만 약 2천에서 3천 명, 전국적으로는 약 1만 명 이상의 개신교도(위그노)들이 가톨릭교도로부터 피습당했다. 당시 학살의 주범인 가톨릭교도들은 심지어 죽은 사람의 시신에서 목을 자르고 내장을 꺼내는 등의 야만적인 만행까지 저질렀다. 어이없게도 당시 로마교황은 이 학살 이야기를 듣고 몹시 기뻐하며, 이 사건을 기념하기 위해 축하 기도회를 열고는 피렌체 출신의 예술가 바사리에게 명하여 바티칸의 방 하나를 대학살에 관한 벽화로 장식하게 했다고 한다.* 훗날에는 개신교도에게 종교의 자유를 허용하는 낭트칙령을 반포한 국왕 앙리 4세가 가톨릭 광신도의 칼에 찔려 사망하는 사건이 벌어지기도 했다.

게다가 근대 사회의 막이 올라갔던 16~17세기에 가톨릭교도와 개신교도가 경쟁적으로 불러일으킨 '마녀사냥'이라는 집단적 광기는 수십만의 인명을 살상하며 유럽 전체를 도살장으로 만들었다.

* 유발 하라리, 『사피엔스』, 김영사

마녀 화형식(Wikipedia)

"마녀사냥을 하려면 어떤 구실이 있었을 텐데요."

"주변의 어떤 여자가 크고 작은 재난을 만들었다고 밀고가 들어오는 것인데, 예를 들면 우박을 퍼붓게 했다, 우유를 상하게 했다 또는 못된 병을 퍼트렸다거나 아이를 유산시켰다든지 등등이었지. 영문도 모르고 끌려온 여자가 심문관에게 모진 고문을 당하다 못해 자신이 마녀라고 자백하면 화형을 당하는 것이었어."

17세기 중반에 마녀사냥을 속으로 비난하고 있던 영국의 한 개신교도는 마녀로 몰려서 심문을 받고 있던 어떤 여자에게 "당신, 정말 마녀예요? 빗자루를 타고 하늘을 날아다니나요?"라고 물었다.

그 여자가 그렇다고 대답하자 그는 다시 "하늘을 나는 재주를 가졌으니 이 세상의 모든 권리를 누려야겠군요?"라고 말해서 폭소를 자아냈다고 한다.* 마녀사냥은 근대 초기 서구 기독교 사회가 대량의 희생양을 요구해야 할 만큼 불확실하고 혼란한 세상이었음을 보여준다.

노트르담 대성당으로 향하는 우리의 발길은 이미 센강을 건너는 퐁네프 다리 위를 걷고 있었다. 아름다운 센강의 경치를 보고 있자니 잔혹했던 지난 이야기가 한 편의 동화처럼 느껴졌다.

퐁네프 다리는 앙리 4세 때인 1606년에 완성된 다리로 현재 파리 센강에 있는 다리 중 가장 오래된 것이다. 다리를 건너면 서울의 여의도와 유사한 시테섬이 나오는데, 거기서부터 우리는 노트르담 대성당을 향하여 걸음을 내디뎠다.

한동안 침묵하면서 경치를 감상하던 중에 내가 입을 열었다.

"근대 초기에 발생한 기독교 광란과 인류의 파괴는 결국 역풍을 맞았어."
"어떻게 말인가요?"
"기독교 광란은 17세기 전반기에 발생한 30년 전쟁으로 인간의 잔인성과 폭력의 극치를 보여줬어. 그리고 그것에 대한 반감으로 계몽주의자라고 불리는 지식인들이 종교적

* 막스 크루제, 『시간여행 2』, 이끌리오

퐁네프 다리 위에서

관용과 인도주의를 주창하여 세상의 주목을 받게 되었는데, 이들 중에서 급진적인 사람들은 이성의 이름으로 기독교 신앙 자체를 부정하기도 했지."

"혹시 볼테르가 그 방면으로 대표자가 아닌가요?"

"맞아."

18세기 프랑스의 대표적인 계몽주의자 볼테르는 이런 말을 했다고 한다.

"신은 존재하지 않는다. 하지만 내 하인에게 그 이야기를 하지는 말라. 그가 밤에 날 죽일지 모르니까."*

* 유발 하라리, 『사피엔스』, 김영사

노트르담 대성당 서쪽 파사드 전경

대화를 나누면서 걷던 중에 어느새 우리는 대성당의 그 유명한 서쪽 파사드 전경과 마주치게 되었다. 하지만 2019년의 화재로 인한 보수 공사가 아직도 진행되고 있는 바람에 본래의 모습을 제대로 볼 수 없어서 유감이었다.

파리 대주교 성당인 노트르담 대성당은 프랑스 초기 고딕 양식 건물 중의 하나로서 1163~1345년에 건축되었다. 이 성당의 이름인 '노트르담(Notre Dame)'은 직역하면 '우리의 귀부인'으로 성모 마리아를 상징하는 말이다.

"당시에 성모 마리아가 경배 대상이 된 연유가 무엇인가요?"
"성모 마리아는 만인의 어머니요 무한한 은혜의 저장소로 간주되었고, 따라서 그녀를 경배하는 사람은 구원을 받게 된다는 믿음이 강했어. 중세 유럽 사회에서 마리아에게는 현실 속에는 존재하지 않는 이상적인 여성상이 투영되었다고 할 수 있지."

서쪽 파사드에는 대리석으로 만들어진 높이 69m의 탑 2개가 대칭으로 세워졌으며, 중앙에는 정문 현관이 있다.

"대체 성당 건물을 왜 이렇게 높게 지은 것이죠?"
"그것은 신에게 조금이라도 가까이 가겠다는 소망 때문이었지."
"고딕 양식의 높은 건물은 어떻게 지탱되고 있나요?"
"건물 내부에서는 가늘고 긴 구조물이 높은 천장을 받치고 있고, 외벽은 부벽을 세워서 지탱하고 있어."
"거대한 고딕 대성당들이 주로 13세기에 많이 건축되었던데, 특별한 이유가 있나요?"
"13세기에 상업이 발달하고 도시가 성장하면서 부유해진 시민들이 자신들의 도시에 대한 자부심으로 대주교들의 대성당 건축을 재정적으로 지원했거든. 죽어서 천국에 가고 싶었던 신흥 부자들이 성당 건축을 위해 재산을 기증했다는 이야기도 있고."

여기에 있다고 알려진 파리의 'ZERO-POINT'는 이곳을 밟으면 다시 파리로 돌아온다는 전설로 널리 알려진 표시이다. 그래서 우리도 한번 밟아 보려고 바닥을 샅샅이 뒤졌지만, 이 표시는 눈에 띄지 않았다. 할 수 없이 주변의 사람들에게 물어보았더니, 아쉽게도 그 표시는 복구공사 칸막이 너머에 있다는 대답을 들었다.

파리의 'ZERO-POINT'(Wikipedia)

노트르담 대성당 내부의 크기는 130m×48m×35m로 거대하며 최대 약 1만 명의 사람이 착석할 수 있다고 한다. 애석하게도 우리는 2019년에 발생한 화재로 인한 복구공사 때문에 내부를 관람할 수 없었다.

노트르담 대성당의 안팎으로 조각이 많은데, 이것은 단순히 예술성을 위한 것만은 아니고 성경의 이야기를 신자들에게 감동적으로 전달하려는 의도였다. 문맹자가 많았던 시대에 이런 조각들은 대중의 신앙심을 강화할 수 있었다. 그래서 작품을 제작할 때 예술성보다 그 내용에 중점을 두었다.

고딕 성당에서 예술적으로 가장 뛰어난 부분은 스테인드글라스로 이루어진 거대한 창으로, 총천연색 빛의 예술이 환상적인 분위기를 창조하고 있다. 이는 성스러운 공간을 신비하게 꾸미려는 시도였다.

내부전경(Wikipedia)

노트르담 대성당 내부조각(Wikipedia)

"고딕 성당은 중세 유럽의 상징물이잖아요?"

"고딕 성당은 형태가 흉측하다는 평가가 있기는 하지만, 그 거대한 규모와 독특한 형태 그리고 수많은 예술 작품 덕분에 중세 후기 서구 문명의 상징이 되었어. 지금은 서유럽 관광의 매력 포인트 역할을 하고 있지."

프랑스 대혁명의 시대였던 1793년에는 급진적인 사람들이 노트르담 대성당에 난입하여 많은 시설과 성상을 손상 또는 파괴하였다. 그리고 19세기에 이 건물의 내부가 복원 및 개축되었다.

"아니 이렇게 아름답고 소중한 건물을 파괴하다니, 제정신인가요?"

"구체제에서 방대한 토지를 보유하고 온갖 특권을 누려온 교회에 대한 민중들의 반감이 폭발한 것이지. 게다가 절대

노트르담 대성당 스테인드글라스(Wikipedia)

왕정이 가톨릭교회와 긴밀히 결탁했기 때문에 혁명 세력은 강한 반反가톨릭교회 경향을 보이기도 했어."

대혁명 직전 프랑스의 성직자 수가 전 인구의 0.8%에 불과했던 반면, 교회가 차지한 토지는 전체 토지의 약 10%에 달했다. 그런데도 교회는 조세 의무를 면제받았다. 결국 대혁명이 터지고 몇 달 후인 1789년 11월에 국민의회는 교회의 토지를 몰수하기로 의결하였다. 그 토지는 시민계급과 농민의 손으로 넘어갔다.

서유럽 근대사에서 가장 극적인 사건은 프랑스 대혁명이다. 처음에는 대혁명 시대에 흘린 많은 피가 전 유럽인을 놀라게 하였고, 나중에는 대혁명의 이념이 유럽 전역으로 퍼져나가 서구 근대 사회에 큰 충격을 주었다. 칼 포퍼에 의하면 유럽에서 열린 사회를 위한 투쟁은 프랑스 대혁명 사상의 등장과 함께 비로소 시작되었다고 한다.* 그래서 대혁명 시대는 우리들의 기행에서 역사적인 전환점이 되었고, 우리는 파리 구시가지에 아직도 남아있는 대혁명 시대의 자취를 찾아서 사진과 함께 많은 이야기를 담았다.

* 칼 포퍼, 『열린 사회와 그 적들』, 민음사

Ⅱ. 대혁명 시대의 자취

파리 구시가지의 중심부에 있는 콩코르드 광장은 대혁명 시대에 극적인 사건들이 발생한 장소이자 오늘날 파리를 찾는 여행객들의 관광 출발점이기도 하다. 뒤로는 웅장한 석조 건물들이 배경을 이루고 앞에는 아름다운 센강이 흐르는 넓은 광장은 과연 파리의 명소라고 불리기에 손색이 없었다. 단지 광장을 둘러싸고 있는 도로에 교통량이 많아서 보행자의 이동과 사진 촬영이 불편했다.

콩코르드 광장 전경

① 콩코르드 광장과 국민의회

파리에서 가장 큰 광장인 콩코르드 광장은 루이 15세(재위 1715~1774)의 통치하였던 1755년에 공사가 시작되어 1776년에 완공되었다. 본시 왕가 소유의 땅이었던 튀일리 궁전 정원의 끝부분에 있는 농경지에 건설된 이 광장은 루이 15세의 기마상을 안치할 장소를 만들려고 한 것이었다. 그래서 최초의 이름은 '루이 15세 광장'이었다.

루이 14세의 증손자로 베르사유 궁전에서 출생하여 5살의 나이에 보위에 오른 루이 15세는 한때 자애롭다는 의미의 '친애왕'이라는 칭호를 얻기도 하였다. 그러나 세월이 흐르면서 도덕성 결핍과 정치적 무능으로 인하여 결국 그는 프랑스의 인기 없는 왕들 가운데 한 사람이 되었다. 특히 그는 늘상 새로운 여자를 찾는 고질적인 버릇이 있었는데, 나이가 들어갈수록 성적 쾌락에 더욱 깊이 빠져들었다. 심지어 그는 베르사유 궁전에 예쁜 소녀들이 가득한 매음굴을 만들어 놓고는 지하 통로와 비밀 계단을 통해 아무 때나 들락거렸다. 그런데 그의 여성 편력에도 불구하고 오랜 세월 동안 그의 몸과 마음을 끌어당긴 여성이 있었으니 바로 '퐁파두르 후작 부인'이었다. 본명이 '잔 푸아송'이었던 이 여인은 시민계급 출신이었는

루이 15세 기마상(Wikipedia)

데 루이 15세가 '퐁파두르 후작 부인'이라는 작위를 주어 귀족으로 격상시킨 것이었다. 그녀는 스무 살에 하급 귀족과 결혼했는데, 그녀의 남편이 소유하고 있었던 시골 땅이 루이 15세의 사냥터와 인접한 곳이어서 루이 15세와 우연히(아마도 우연을 가장한 기획) 마주쳤고 이후 루이 15세의 공식 정부가 되었다.

그녀는 루이 15세를 유혹할 수 있는 새로운 방법을 끊임없이 모색했고, 시간이 흐를수록 루이 15세는 더 자주 그녀를 찾았다. 베르사유 궁전에 있는 국왕의 처소에서 그녀의 처소로 이어지는 계단을 오를 때면, 루이 15세는 자신을 기다리고 있을 즐거움과 쾌락에 대한 상상으로 흥분했다고 한다. 퐁파두르 후작 부인이 권태에 시달리던 루이 15세를 새로운 오락거리 그리고 신비로운 옷과 분위기

프랑수아 부셰, <퐁파두르 후작 부인>

로 매번 놀라게 했기 때문이다. 그렇게 그녀는 20년 동안 루이 15세와 그의 궁정을 지배했다.*

프랑스 혁명기에 이 광장은 '혁명광장'으로 이름이 바뀌었다.

"이곳에 있던 루이 15세의 기마상은 1792년에 파괴되었고 끔찍한 장치가 그 자리를 대신했어."
"끔찍한 장치라뇨?"

* 로버트 그린, 『유혹의 기술』, 웅진지식하우스

루이 16세의 처형(Wikipedia)

> "사람의 목을 자르는 단두대지. 대혁명 시대 최고의 발명품."

> "루이 16세는 머리를 단두대의 도끼 밑에 끼운 채 미동도 하지 않았다. 북소리가 요란하게 울려 퍼졌고 도끼가 쇳소리를 내더니 쿵 소리를 내며 떨어졌다. 젊은 형리가 바구니 속에 손을 집어넣어 머리카락을 쥐어 머리통을 들어 올렸다. 피가 뚝뚝 떨어졌다."*

1789년 파리에서 발생한 대혁명으로 루이 16세는 절대왕권을 잃어버리고 허수아비로 전락했다. 형식적으로나마 국왕의 지위를

* 막스 크루제, 『시간여행 3』, 이끌리오

유지하고 있었던 그는 프로이센의 국왕에게 유럽 주요 국가들의 무력 간섭을 통해 혁명을 분쇄해 달라는 밀사를 보내기까지 했지만 1791년 6월, 가족들을 이끌고 왕비의 친정인 오스트리아로 가기 위해 탈출을 시도하던 중 국경에서 체포당한다. 루이 16세 부부의 재판이 진행되던 1792년 11월에는 파리 튀일리 궁전의 숨겨진 벽장에서 그들이 많은 사람들과 공모하여 국민을 속이고 내란을 꾸몄으며 적군과 내통했다는 사실을 낱낱이 밝혀주는 비밀문서가 발견되었다. 결국 국왕 부부는 처형을 피할 수 없게 되었다.

1830년에 발생한 7월 혁명 이후 이곳은 '콩코르드 광장'으로 불리게 되었다. 그리고 1833년에 오스만 제국의 이집트 총독이었던 알리 파샤가 고대 이집트 신왕국의 수도 테베에 있었던 오벨리스크 한 개를 파리로 보냈는데, 이것이 바로 지금까지 콩코르드 광장에 우뚝 서 있는 오벨리스크이다. 1836년 10월 25일, 이 광장에 오벨리스크를 세우는 행사가 20만 명이 넘는 관객의 눈앞에서 성대하게 치러졌다.

19세기 중반에 설치된 조형물 중에서 대표적인 것은 오벨리스크 양 측면에 있는 두 개의 거대한 샘 조형물인데, 여기에 있는 조각상들은 많은 예술가들이 참여해 제작했다.

콩코르드 광장 주변에는 웅장하고 아름다운 건물들이 많이 있지만, 역사적 의미만을 놓고 보면 프랑스 하원이 있는 국민의회 의사당이 으뜸일 것이다. 이 건물은 콩코르드 광장에서 다리를 건너면 바로 마주친다.

오벨리스크

샘 조형물

1728년에 완공된 이 건물은 '부르봉 궁전'이라고 불리기도 하지만, 실제로는 루이 14세의 딸인 루이지의 궁전이었기 때문에 국왕이 거주한 적은 없다. 1765년에 건축가 수플로에 의해 낡은 건물이 신고전주의 양식으로 개축된 후로 대혁명과 함께 우여곡절을 겪고는 1848년 2월 혁명 이후에 750명의 프랑스 하원의원이 사용하는 의사당으로 정착하였다.

프랑스 역사에서 '국민의회'라는 말은 1789년에 제3신분(평민)의 대표들이 파리에서 그들만의 회의를 시작한 것에서 비롯되었다. 국가의 재정 위기를 극복하기 위해 국왕 루이 16세가 소집한 베르사유의 삼부회에서 귀족과 성직자들이 기존의 면세 특권을 포기하려 하지 않았기에, 결국은 평민들에게 새로운 세금을 부과할 수밖에 없었다. 이에 분노한 평민의 대표들은 삼부회를 박차고 나와 파리에서 그들만의 회의를 시작했다.

국민의회 의사당

오귀스트 쿠더, 〈삼부회의 소집〉

하지만 이후 국왕 루이 16세가 군대를 동원하여 국민의회를 탄압하려 한다는 소문이 돌면서 파리의 민중들은 무장하는 쪽으로 의견을 모았다.

그래서 민중들은 1789년 7월 14일에 원래는 감옥이었지만 당시에는 주로 무기고로 사용되고 있었던 바스티유 요새를 습격하였다. 그 바람에 이곳을 지키던 정부군과 시민군 사이에서 격렬한 전투가 벌어졌고 끝내 시민군이 바스티유를 함락하였다.

"번뜩이는 무기, 타오르는 횃불, 연기 나는 젖은 짚단이 실린 마차, 사방으로 이웃한 방어벽에서 벌어지는 격렬한 전투, 비명, 빗발치는 총알, 증오, 아끼지 않는 용기, 파괴의 굉음과 무너지는 소리.."*

* 찰스 디킨스, 『두 도시 이야기』, 허밍버드

장 피에르 우엘, <바스티유 습격>

대혁명의 시발지가 되었던 바스티유 요새는 훗날 철거되었고, 그 자리는 지금 '바스티유 광장'이 되었다.

이후 국민의회는 프랑스 대혁명을 이끌고 나가는 기관차가 되어 1789년에 '인간과 시민의 권리선언', 이른바 '프랑스 인권선언'을 선포하였는데, 제1조는 이렇게 시작된다.

"인간은 자유롭고 평등하게 태어나고 생존한다."

이 한 구절은 인류 역사에 한 획을 긋고 새 시대의 출발을 알리는 기적 소리였으며, 동시에 프랑스 계몽주의의 나무에서 익은 소중한 열매였다.

인권선언(Wikipedia)

"인권선언에 가장 큰 영향을 미친 계몽 사상가는 루소였다지요?"

"맞아. 루소의 영향이 가장 컸지."

"대혁명 얘기만 나오면 계몽주의를 끌고 오는데, 계몽주의가 대혁명의 직접적인 원인이었나요?"

"대혁명의 직접적인 원인은 당시 프랑스 정부의 재정 위기, 농촌의 기근과 식량 가격의 폭등 그리고 과도한 신분적 불평등이었지. 계몽주의자들은 혁명에 불을 붙이지는 않았지만, 잘못된 세상을 명확히 지적하면서 여론에 영향을 미쳤고, 결국에는 혁명의 방향을 제시하며 이끌고 갔어."

중세 유럽에서 전통적인 귀족은 영주였다. 그들은 국왕으로부터 봉토를 하사받아 자신의 영지에서 공권력을 행사하였다. 그들의 경제적 기반은 장원이었는데, 이곳에서는 농노들이 영주에게 인신적으로 구속받으면서 농경에 종사했다. 농노들은 이주의 자유를 갖지 못하였을 뿐만 아니라 영주에게 사사로이 처벌되었다. 많은 지역에서, 농노의 딸이 혼인하면 남편과 첫날밤을 보내기 전에 처녀성을 영주에게 바치게까지 하였다. 프랑스에서는 1318년에 필립 5세의 농노해방령으로 농민 대부분이 자유민인 소작농이 되었다. 이론적으로 소작농은 인신적인 예속에서 벗어나 지주에게 지대만 내면 되었지만, 실제로는 지주인 귀족에게 온갖 착취와 횡포를 당하였다.

18세기 중반에 영국의 한 저술가는 이런 글을 남겼다.

> "프랑스 농민들은 유복하기는커녕 필요한 생계 수단도 가지고 있지 않다. 이들은 자신들이 겪은 피로에 합당한 원기 회복을 하지 못해서 40세 이전에 이미 노쇠하기 시작하는 인종이다."*

영국의 문호 디킨스의 명작 『두 도시 이야기』에 나오는 어떤 악랄한 귀족은 조카에게 이런 말을 하기도 하였다.

> "상류 계층을 향한 증오는 하위 계층이 본의 아니게 보이게 되는 존경이란다."**

* 페르낭 브로델, 『물질문명과 자본주의 I-1』, 까치
** 찰스 디킨스, 『두 도시 이야기』, 허밍버드

평민들의 목숨을 파리 목숨쯤으로 여겼던 이 악당 귀족은 끝내 심장에 칼을 맞고 죽는 것으로 자신의 죗값을 치렀다. 그토록 기득권에 집착하며 지배의 쾌감을 즐겼던 귀족들은 대혁명이 터지면서 생명과 재산을 잃었고 그도 아니면 외국으로 도주하여 피난민 신세가 되었다. 과하면 탈이 나는 법이고, 탈이 난 사회를 휘감는 것은 복수심이 뿜어내는 학살의 광기이다. 1792년 9월에는 국민의회에 이어 입법기관이자 사실상의 혁명정부 역할을 했던 국민공회가 '프랑스 공화국'을 선포했고, 그들은 1793년, 드디어 폐위된 루이 16세와 왕비를 처형하였다. 그러나 이후 국민공회는 급진파 자코뱅과 온건파 지롱드의 대립으로 혼란에 빠졌고 마침내 권력을 장악한 자코뱅에 의하여 이른바 '공포정치'가 시행되었다. 공포정치 시대의 거리 풍경은 『두 도시 이야기』에서 이렇게 묘사되었다.

"돌이 깔린 길 위로 매일 사형수 호송 마차가 사형수를 잔뜩 싣고 무겁게 덜컹거리며 나아갔다."*

끝내 약 3만 명을 단두대로 보낸 자코뱅의 지도자 로베스피에르와 당통마저 단두대의 이슬로 사라지자 이로 인해 '단두대로 일어난 자 단두대로 망한다'라는 격언이 생겨났다. 자유와 평등이 보장되는 새로운 세상을 만들어 나가는 실제의 여정은 이렇듯 너무도 잔혹했다.

* 찰스 디킨스, 『두 도시 이야기』, 허밍버드

폭풍의 광장을 떠난 우리의 발길은 이제 평화를 찾아 아름다운 튀일리 정원으로 향했다.

콩코르드 광장과 루브르 박물관 사이에 있는 튀일리 정원은 시내 관광으로 지친 다리를 쉬게 하고 잠시 파리의 평화와 휴식을 즐길 수 있는 매력적인 공간이다. 이 정원은 1564년에 앙리 2세의 왕비인 카트린에 의해 건축된 튀일리 궁전의 정원으로 만들어졌다고 한다. 튀일리 궁전은 지금은 존재하지 않는다. 카트린은 이탈리아의 피렌체를 통치했던 메디치 가문 출신으로 여러 분야에 걸쳐서 풍부한 지식을 갖춘 뛰어난 여성이었다. 그녀는 프랑스 국왕 프랑수아 1세의 둘째 아들 앙리에게 시집왔지만, 시아주버니가 일찍 죽

튀일리 정원

는 바람에 남편 앙리가 다음번 왕위에 올라 결국에는 생각지도 못했던 왕비가 되었다. 그녀는 자식을 낳지 못해서 출산의 묘약이라는 당나귀 오줌을 마시기도 했고 잠자리에서 색다른 체위를 구사했다고 하는데, 그것의 약발이 들었는지 이후로는 10명의 아이를 낳아서 그중 아들 셋을 국왕으로 만들었다. 여색만 밝히고 정치적으로 무능했던 앙리 2세가 마상 창 시합 중 사고로 일찍 죽자, 지적이고 용의주도한 카트린은 왕위에 오른 아들들의 배후에서 권력을 휘둘렀다고 한다.* 영화 <여왕 마고>로 유명해진 앙리 4세의 첫 번째 왕비 마르그리트가 바로 카트린의 막내딸이다. 그녀는 남편 앙리 4

* 주경철, 『주경철의 유럽인 이야기』, ㈜휴머니스트 출판그룹

세와 애정 없는 결혼 생활을 하면서 수많은 연인을 사귀고 추문을 만들다가 결국 위송 성에 유폐되고 이혼당했다.

우리는 정원에서 잠시 쉬면서 발의 피로를 풀고는 루브르 박물관으로 향했다. 센강 북쪽 기슭에 있는 루브르 박물관은 루이 14세가 베르사유 궁전으로 옮기기 이전에 프랑스 국왕의 거처였던 루브르궁전에 자리 잡고 있다. 'ㄷ'자 형의 르네상스 양식인 이 건물은 유럽에서 가장 긴 건물이다. 루브르는 소장품, 방문객, 건물 등을 종합적으로 평가하여 세계 최고의 박물관 중의 하나인데, 특히 방문객 수로는 세계 최고의 위치를 고수하고 있다.

2 루브르 박물관

루브르 박물관은 그 명성에 걸맞게 관람하기가 쉽지 않았다. 입장하기 위해서는 베르사유 궁전처럼 반드시 사전에 예약해야 한다. 루브르 박물관 사이트에 들어가면 예약이 가능한 날짜와 시간이 명시되어 있는데, 파리 체류 일정이 촉박한 사람들은 한국에서 미리 예약하면 효율적으로 시간을 활용할 수 있다. 우리가 박물관에 입장할 때는 다소 추운 날씨임에도 많은 사람이 입구에 줄 서 있었다.

루브르 박물관 전경

이 박물관의 소장품들은 오랜 세월 동안 여러 사람의 손을 거치다가 마침내 1793년에 '국립 미술관'이라는 이름 아래 루브르 궁전에 모아졌다. 루브르가 세계 최고의 박물관이 될 수 있었던 것은, 대혁명 시대에 이르러 프랑스가 왕정에서 벗어나 처음으로 공화국을 선포했기 때문이다. 예술품은 개인의 소유물이 아니라 모든 시민이 함께 향유해야 하는 공동의 자산이므로 대중에게 공개되어야 한다는 생각이 공화제하에서 널리 수용되었던 것이다. 개관 이후로 루브르 박물관의 소장품은 계속 증가하여 현재 약 61만 점에 이르렀고, 그중에서 약 3만 5천 점이 전시되고 있다.

이곳의 전시장이 너무도 크고 전시품이 하도 많다 보니 우리는 문명사적으로나 예술적으로 가장 중요한 유물이나 작품들만 중점적으로 감상하기로 하였다.

이곳에 있는 고대의 유물 중에서 문명사적으로 가장 가치 있는 것은 메소포타미아의 함무라비 법전 기둥이다. 고대 중동관에 있는 이 유물을 찾기가 쉽지 않아서 우리는 제법 발품을 팔았다.

2.4m 높이의 함무라비 법전 기둥은 1901년에 프랑스와 이란의 합동 발굴팀에 의해서 이란의 서남부, 페르시아만 걸프 지역 북쪽에 있는 고대도시 수사에서 발굴되었다. 이 기둥에 새겨진 함무라비 법전은 BC 18세기에 바빌론의 왕 함무라비가 메소포타미아를 통일하고 바빌로니아 제국을 세운 후에 공포한 법령집이다. 당시 함무라비는 제국을 결속하고 질서를 확립하기 위해 수백 년 동안 누적된 선례와 관행을 바탕으로 자기 이름을 붙인 법령집을 공포하

함무라비 법전 기둥

고 이를 돌기둥에 새겼는데, 이것이 바로 세계에서 가장 오래된 성문법이다. 함무라비 법전의 첫머리는 이렇게 시작된다.

> "메소포타미아의 신이 함무라비에게 정의가 지상에서 널리 퍼지고, 사악하고 나쁜 것을 폐지하며, 강자가 약자를 억압하는 것을 방지하는 임무를 주었다."*

* 주디스 코빈, 『새로운 서양문명의 역사 상권』, 소나무

사모트라케의 승리의 날개

고대 조각관 전경

우리는 고대 조각관 입구에서 위층으로 이동하는 도중에 계단의 전면에 놓여있는 니케 여신상을 보고 발길을 멈추었다. 참으로 크고 화려하면서도 형태가 명확하지 않은 신비로운 대리석 조각상이었기 때문이다.

니케는 그리스 신화에서 정복과 승리의 여신이고, 이곳에 있는 조각상은 헬레니즘 시대였던 BC 190년경에 제작된 것으로 추정되고 있다. 이 여신상은 머리와 양팔 부분이 손실된 상태라 현재는 남아있는 날개의 모양을 토대로 그 형상만 짐작할 수 있다. 이 조각상의 이름이 <사모트라케의 승리의 날개>라고 붙여진 것은 1863년에 에게해의 사모트라케섬에서 발견되었고, 조각의 날개 형상이 승리의 'V'와 유사한 형태이기 때문이다. 이 조각상은 팔과 머리, 발이 사라지고 오른쪽 날개 한쪽이 부서진 형태로 발견되었지만, 루브르 박물관이 오른쪽 날개 조각들을 수습하고 없어진 부분은 석고로 형상을 맞추어서 지금의 모습이 되었다고 한다. 미국의 스포츠 용품 업체 나이키와 미국 육군의 나이키 미사일이 '니케'에서 유래한 것이라고 한다.

고대 조각관에서 관람할 수 있는 고대의 조각 작품 중 최고봉은 <밀로의 비너스>라고 할 수 있다.

밀로의 비너스

1820년에 에게해의 밀로스섬에서 농부에 의해서 발견되었기 때문에 <밀로의 비너스>라는 이름이 붙여진 이 대리석 조각상은 헬레니즘 시대였던 BC 200년경에 제작된 것이다. 높이 202cm인 이 조각상은 신체의 주요 부분을 구분해서 여성의 육체를 단순 명료하게 표현하고 있으며, 대리석은 표면이 생명력을 갖고 숨을 쉬고 있는 것처럼 보일 때까지 다듬어져서, 생생한 아름다움으로 창조되었다.* 이와 함께 이 조각상에서는 옷의 복잡한 주름이 장황하면서도 섬세하게 묘사되었다. 흔히 헬레니즘 시대의 조각 작품들은 얼굴의 주름살, 팽창한 근육, 옷의 복잡한 주름 등을 장황하게 묘사하거나 특별한 자세를 표현하고는 했다. 그러나 밀로의 비너스상을 실제로

* E.H. 곰브리치, 『서양미술사』, 예경

보니 크기에서 약간의 실망감이 들었다. 물론 조각상의 예술적 가치는 크기가 아니라 미적인 섬세함에서 나오는 것이지만.

우리는 이동 중에 완전히 노출한 남녀의 조각상을 보고 웃고 말았다. 사실 남녀가 섞인 일행이었더라면 쳐다보기가 조금 민망하지 않았을까 하는 생각이 들었다.

사실 나체 조각상은 동양인들에게는 가장 생소하고 받아들이기 어려운 서양 예술의 장르이기도 하다.

"고대 서양인들이 음탕해서 나체 조각상을 만들었을까요?"

"하하, 동서고금을 막론하고 인간은 음탕했지. 고전 시대의 나체 조각상은 인간이 상상할 수 있는 가장 완벽한 이상형의 육체를 보여주려던 것이었어. 고전 시대에는 인간 육체의 아름다움이 중시되었거든. 그래서 특히 고대 그리스인은 오늘날의 헬스클럽 같은 곳에서 매일 육체 훈련을 했다는군. 그 유명한 철학자 소크라테스도 근육질의 몸짱이었어."

"고전 시대의 나체상 조각이 서구 사회로 계승되었나요?"

"인간의 나체를 드러내는 조각상은 중세의 서구 기독교 사회에서는 타락과 부도덕의 상징으로 여겨져서 사라졌어. 심지어 기독교도들은 고전 시대의 조각 작품들을 보면 불경하다고 때려 부수기까지 하였지. 나체상 조각은 르네상스 시대에 부활하였는데, 그 시대의 대표적인 나체상이 바로 미켈란젤로의 <다비드>이지. 서구 예술에서는 고전 양

고대 그리스의 나체 조각상

식과 기독교 윤리가 갈등 관계를 이루고 있었다고 할 수 있어."

고대 그리스의 도시국가 아테네에서 제작된 여신상이나 여성 조각의 모델은 대부분 직업여성인 '헤타이라'였다. 이 시대에 직업여성은 춤추고 노래하고 악기를 연주하며 남자들을 접대하거나 대화 상대가 되어주는 여성을 의미했는데, 그녀들은 대부분 아테네 출신이 아닌 외국에서 태어난 그리스 여성이었다. 당시 아테네의 시민 집안 여자들은 외출도 함부로 할 수 없을 만큼 폐쇄적인 생활을 했기 때문에 외간 남자인 조각가 앞에서 전라 또는 반라의 모습으로 모델을 한다는 것은 상상도 할 수 없는 일이었다.*

* 시오노 나나미, 『그리스인 이야기 II』, 살림

실내 중정

'ㄷ'형 박물관 건물의 중앙 부분에 있는 실내 중정은 고대 그리스 조각상들로 둘러싸인 아름다운 공간이다. 우리는 이곳에 잠시 머무르면서 고대 그리스의 신전에 들어와 있는 듯한 신비감을 느꼈다.

"고대 그리스의 예술 하면 제일 먼저 떠오르는 것이 조각인데, 그리스의 조각이 왜 그렇게 유명한 것이죠?"
"조각은 고대 그리스 예술의 최고봉이라고 할 수 있는데, 특히 역동적인 인간의 모습을 묘사한 작품들이 예술성의 극치로 평가되고 있어."

18세기의 고대 미술사학자인 빙켈만은 그리스 조각을 이렇게 평했다.

역동적인 고대 그리스 조각상

"거품이 일렁이는 바다 밑바닥이 고요하듯, 그리스 조각의 들끓는 열정 아래에는 위대한 영혼이 고요히 자리하고 있다."*

* 데이비드 어윈, 『신고전주의』, 한길아트

루브르의 회화는 크게 르네상스, 바로크, 신고전주의 작품들로 분류되어 전시되고 있는데, 우리는 먼저 르네상스 전시관에 들렀다. 이 전시관의 한쪽이 인파로 붐비는 것을 보고 다가가니 그쪽 벽면에 레오나르도 다빈치의 <모나리자>가 걸려있었다. 르네상스 시대의 대표적인 명화 <모나리자>는 이곳에서 최고의 인기를 누리고 있는 작품으로, 우리는 관람과 사진 촬영을 위해 줄을 서야만 했다.

"레오나르도의 그림이 왜 여기에 있는 것이죠?"

"레오나르도는 이 그림을 미완성으로 생각하고 늘 가지고 다녔는데, 죽기 직전에 자신을 프랑스로 초빙하여 온갖 후원을 해주었던 프랑스 국왕 프랑수아 1세에게 고마움을 표현하기 위하여 이 그림을 선사하였어. 프랑수아 1세가 소장하고 있던 이 그림은 1797년부터 루브르 박물관에 상설 전시되었지."

"그런데 이 그림 속의 여자가 우리를 조롱하는 것 같지 않나요?"

"하하, 그런 것 같기도 하고 미소 속에 슬픔이 깃들어 있는 것 같기도 하군. 보기에 따라서 다른 느낌을 주는 것이 이 그림의 신비함이고 그래서 명화가 된 것이겠지. 사실은 이 그림이 명화가 된 진짜 이유가 또 있어."

"그게 뭔가요?"

"바로 스푸마토 기법으로 그려진 최고의 작품이기 때문이지."

"스푸마토 기법이 어떤 것인가요?"

"스푸마토는 '연기와 같이 사라진다'라는 뜻인데, 색과 색

회화관 입구 전경

모나리자

사이 경계선 구분을 명확하게 하지 않고 부드럽게 처리하는 기술적 방법이야."

"어쩐지 안개 속에 있는 것 같은 분위기였어요."

르네상스 회화관을 지나서 우리가 도달한 곳은 신고전주의 회화관이었다. 이곳에서 전시되고 있는 작품 중에서 최고의 인기를 누리고 있는 것은 프랑스 신고전주의 역사화를 대표하는 다비드의 명화 <나폴레옹의 대관식>이다. 1808년에 완성된 이 작품은 크기와 화려함뿐만 아니라 그것이 담고 있는 내용으로 인하여 늘상 화제가 되고 있다. 이 그림은 1804년 12월 노트르담 대성당에서 열린 나폴레옹의 황제 대관식 장면을 9m×7m의 초대형 캔버스에 표현한 걸작이다. 여기서 황제 나폴레옹은 먼저 스스로 왕관을 쓴 뒤에, 무릎을 꿇고 있는 부인 조세핀에게 황후의 왕관을 씌워주고 있다. 이 자리에 참석한 교황 피우스 7세는(자신이 왕관을 씌워주지 못하고) 나폴레옹의 건방짐을 그저 지켜보고 있을 뿐이다. 이 그림을 위해 다비드는 200여 명이나 되는 인물들을 정교한 초상화로 그려 넣는 힘든 작업을 하였다. 훗날 완성된 그림을 본 나폴레옹은 교황이 한 손을 들어 자비를 내리는 모습으로 그림을 고치라고 하면서 다비드에게 이렇게 말했다고 한다.

나폴레옹의 대관식

"그가 아무것도 하지 않았다면 그를 오라고 할 이유가 없었지 않소"*

우리는 이 그림을 사진에 담기 위해 긴 시간을 그 앞에서 머물렀다. 그림을 가로막는 사람이 없어야 셔터를 누를 터인데, 그림 앞으로 지나가거나 그림을 가리고 있는 사람이 끊임없이 나타났다. 특히 중국인 여성 가이드가 중국인 관광객들을 위해 지휘봉으로 그림의 각 부분을 가리키며 열심히 설명하는 바람에 우리에게 사진을 찍을 기회가 좀처럼 생기지 않았다. 내가 그녀에게 잠시 사진 찍을 기회를 달라는 사인을 보냈지만 자기 일에 열중한 그녀는 내 사인을 본 척도 하지 않았다. 시간이 제법 흘러서야 기회가 와서 우리는 이 그림을 사진에 담을 수가 있었다. 전시장에서 대형 그림을 사진에 담는 일은 이렇듯 쉽지 않았다.

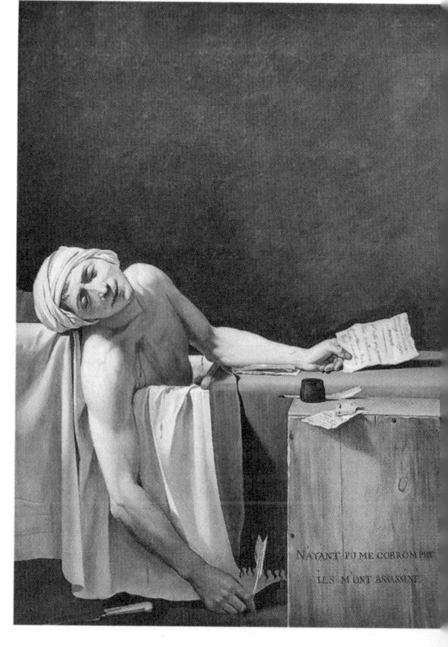

마라의 죽음

같은 공간의 옆면에는 다비드의 또 다른 명화 <마라의 죽음>이 전시되고 있다. 이 그림에는 로베스피에르, 당통과 함께 자코뱅의 지도자였던 마라가 욕조에서 살해된 장면이 묘사되어 있다. 1793년 7

* 데이비드 어윈, 『신고전주의』, 한길아트

월에 마라를 살해한 여성은 귀족 출신으로 교육을 많이 받은 25세의 지롱드 당원이었고, 살인 동기는 자코뱅의 공포정치에 대한 증오심이었던 것으로 알려졌다. 그녀는 중요한 메모를 전달한다는 핑계를 대고 마라의 방에 들어갈 허가를 받았고, 피부염 때문에 유황을 담근 욕조에 들어가 있던 마라를 칼로 찔러 죽였다. 그녀는 체포되어 며칠 후에 처형되었다. 이 그림에서 다비드는 국민공회에서 동료였던 마라를 영웅적으로 묘사하였는데, 기독교적 순교자를 연상시킨다는 평을 듣고 있다.

유리 피라미드

루브르 박물관 마당 한복판에 있는 ‘유리 피라미드’는 1989년에 완공되어 오늘날 루브르 박물관의 입구로 사용되고 있다.

이 건축물은 오늘날 루브르의 상징물로 인식될 만큼 유명하지만, 완공 당시에는 이렇게 흉측하게 생긴 조형물을 설치한 것은 루브르의 수치라는 비난이 수많은 신문이나 잡지에서 쏟아졌다.

17세기 서유럽에서는 신대륙의 플랜테이션에서 들어오는 값싼 설탕이 널리 퍼지면서 설탕을 넣은 달콤한 음료가 점점 인기를 얻고 있었다. 예를 들면 설탕을 넣은 커피, 코코아, 차 그리고 영국에서는 심지어 설탕을 넣은 포도주까지 널리 퍼졌다. 유행을 타기 시작한 서유럽 전역에 카페나 커피숍 같은 공간들이 우후죽순으로 생겨나자, 시민계급은 이곳에 모여 공개적인 토론을 나누고 정치적, 사회적 여론을 형성하였다. 훗날 독일의 사회철학자 하버마스는 17~18세기 카페의 이런 역할을 ‘공론장’이라고 표현하면서, 공론장에서 나눈 합리적 토론을 통해 형성된 이성적인 여론이 근대 민주주의의 토대였다는 말을 남겼다.

③ 카페 르프로코프

1686년에 파리 최초의 카페인 르프로코프(Le Procope)가 센강의 남측에서 문을 열었다. 18세기에는 계몽주의자들이 이곳에서 커피를 마시며 많은 토론을 했다고 한다. 우리가 내비게이션의 도움을 받아 찾아가 보니 생각보다 좁은 골목에 있는 이 카페의 외관은 화려하지 않았지만, 역사의 냄새를 듬뿍 풍기고 있었다.

르프로코프 외관

역사적인 인물들의 방문

카페의 문 안으로 들어서면, 입구 근처에 이곳을 자주 찾았던 역사적 인물들이 그려진 액자가 걸려 있다. 처음에는 커피와 차를 파는 카페로 문을 연 르프로코프는 현재 파리의 유명 레스토랑이 되었다. 우리가 보기에 이곳은 맛집이라기보다는 '역사의 집'으로 명성을 누리는 것 같았다. 12시가 조금 넘어서 들어간 우리는 사람이 너무 많은 것을 보고 놀랐다. 사진을 찍고 구경을 하려면 오후 2시경이 좋다는 충고를 듣고도 무시한 것이 문제였다. 사실은 오전에 오래 걸었기에 배가 고프고 다리도 아파서 어쩔 수가 없었다. 우리가 원했던 2층의 자리는 아예 기대도 할 수 없었고, 아래층의 좁은 자리에 앉은 것도 다행으로 여겨야 할 상황이었다. 그래서 우리는 식사를 하고 술을 마시면서 2시까지 시간을 끌다가 한산해진 후에야 내부를 구경하고 사진을 찍었다. 하지만 시간을 끄는 사이에 포도주 한 병을 추가로 마시고 말았다.

18세기 파리에서 카페는 급속히 증가하며 정치적·사상적 토론의 중심지로 부상했다. 이곳에서는 급진적 사상을 다룬 책들이 거래되기도 했다. 이 시절에 특히 루소는 파리의 카페를 뻔질나게 다니면서 다른 사상가들과 논쟁하고 의견을 교환하였다. 그는 당대의 계몽 사상가 중에서 가장 급진적인 인사였다.

르프로코프의 중앙계단으로 올라가서 2층의 왼쪽에 있는 고풍스러운 공간은 당대 최고의 계몽주의자들이 무수한 논쟁을 했던 곳으로 유명하다. 이 시절에 루소를 공격하면서 가장 많은 논쟁을 벌인 사람은 바로 볼테르였다. 지금 이곳을 보고 있자니 당시 두 사람의 논쟁 장면이 눈에 선하였다.

> 볼테르: "루소 씨, 문명을 거부하고 자연으로 돌아가자고 하는 말은 인간이 벌거벗고 다니면서 열매나 주워 먹던 시절로 돌아가자는 것인가요?"
>
> 루소: "볼테르 씨, 문명이 인간을 불행하게 만들었다는 것을 모르시나요?"

루소는 '자연으로 돌아가라'라는 말로 근대 반문명주의의 시조가 되었다. 그는 '인간은 자연 상태에서 자유롭고 평등하게 태어나지만, 문명이 인간을 타락시키고 억압하며 사유재산과 불평등을 확대시킨다'라고 생각하였다.

볼테르와 루소가 논쟁한 테이블

두 사람은 테이블에 마주 앉아 논쟁을 이어갔다.

볼테르 : "루소 씨, 사생아를 다섯이나 낳아서 모두 보육원에 보낸 사람이 교육 이야기(에밀)를 언급할 자격이 있다고 생각하십니까?"

루소: "볼테르 씨, 사생활과 사상은 구별되어야 하지 않나요? 살다 보면 어쩔 수 없는 사정이 발생하기도 하지요."

어쨌든 영원한 논쟁 맞수였던 루소와 볼테르 두 사람은 공교롭게도 같은 해(1778년)에 죽었는데, 사후에도 논쟁하고 싶었던 것인지 아니면 '미운 정', '고운 정'이었는지 모를 일이다.

나폴레옹의 모자

2층으로 올라가는 계단의 벽면에는 나폴레옹이 찻값 대신 맡겼다는 모자가 전시되어 있다. 나폴레옹이 출세하기 이전의 사건이라고 하지만 진짜 나폴레옹의 모자인지 의심이 살짝 들었다. 하지만 이 순간에 떠오르는 구절이 있었다. “믿는 자에게 즐거움이 있나니” 어쨌든 이 모자는 르프로코프의 상징물로 널리 알려졌다.

이곳에서 우리는 가리비를 살짝 구워서 고소한 크림소스를 곁들인 요리와 살짝 구운 참치에 버섯소스를 넣은 요리를 들었는데, 둘 다 맛이 좋았다. 사실 이곳은 명성에 비해 음식값은 비싸지 않아서 대중적인 레스토랑이라고 할 수 있다.

르프로코프의 요리

파리에 레스토랑이 처음으로 문을 연 것은 18세기의 일이다. 특별한 날에 식사를 공짜로 대접하는 경우는 있었지만, 중세 유럽에는 아직 돈을 받고 음식을 제공하는 대중 식당이 없었다. 근대에 들어서면서 부유한 시민계급은 귀족처럼 음식을 장만하기 위해 상시 요리사를 두는 것은 낭비라고 생각했고, 먹고 싶을 때 레스토랑에 가서, 먹고 싶은 만큼만 먹고 적절한 금액을 지불하는 것이 합리적이라고 생각하게 되었다.* 이런 풍조가 퍼지면서 도시에 레스토랑이 계속 생겨났다.

* 조홍식, 『문명의 그물』, 책과함께

인쇄술의 발전과 함께 17세기에 출현한 신문은 카페나 커피숍에 전시되어 시민들의 사회의식과 기존 권위에 대한 비판의식을 고조시켰다. 시민들은 카페에서 만나서 신문을 읽으면서 대화를 나누고 논쟁을 하였는데, 흔히 이런 식으로 시작되었다.

> "그건 내가 신문에서 읽은 것이니까 분명히 사실일 거요. 당신도 읽었지요?"*

1777년에 등장한 최초의 일간지들은 주로 카페에 비치되었는데, 정치적 동향에 관한 정보를 제공하면서 시민계급의 혁명적인 분위기를 고무하였다. 19세기에 들어서 신문과 잡지는 서적을 제치고 가장 많이 생산되는 인쇄물이 되었다. 특히 철도가 건설되자 철도역이 있는 곳에서는 파리에서 인쇄된 일간지를 바로 다음 날이면 받아 볼 수 있게 되었고, 이로 인해 발행 부수가 크게 늘었다. 1840년 파리에는 20개의 일간지가 있었고, 총 발행 부수는 약 11만 부였다.** 이 시대에 일간지에 실린 연재소설은 계층과 남녀의 구별 없이 전 국민이 즐기는 장르가 되었다. 당시 최고의 인기 작가였던 뒤마는 1844년 3월부터 일간지 '시에클'에 『삼총사』를 연재하여 폭발적인 인기를 얻으면서 일약 유명 작가가 되어 이후 떼돈을 벌었다.

* 시오도어 래브, 『르네상스의 마지막 날들』, 르네상스
** 도널드 서순, 『유럽문화사 II』, 뿌리와 이파리

무명작가였던 플로베르가 일간지 '르뷔드 파리'에 『보바리 부인』을 연재 중이던 1856년, 이 소설은 풍기문란 혐의로 기소되었다가 다음 해에 무죄 판결을 받았다. 이 소설이 인기를 얻게 된 이유는 뭐니 뭐니 해도 섹스와 관련된 내용 때문임에는 분명하다. 특히 자갈길을 빠르게 달리는 마차에서 주인공 남녀가 첫 관계를 하는 장면 묘사는 결정타였다.

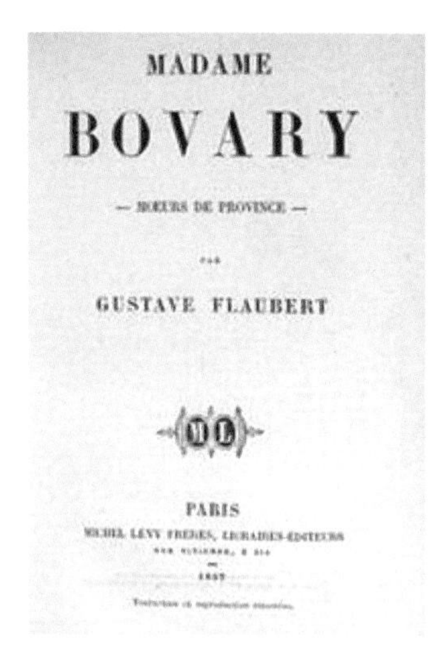
MADAME

BOVARY

— MOEURS DE PROVINCE —

PAR

GUSTAVE FLAUBERT

PARIS

MICHEL LÉVY FRÈRES, LIBRAIRES-ÉDITEURS

보바리 부인 단행본(Wikipedia)

기소와 무죄 판결로 화제가 된 연재소설 『보바리 부인』의 단행본은 출간되자마자 순식간에 3만 부가 팔렸다고 한다.*

르프로코프에서 멀지 않은 센강 남쪽의 한 언덕에 있는 팡테옹은 크고 멋진 건물이다. 삼각형 지붕과 코린트 양식의 원주로 구성된 그리스 신전 형태의 정면과 돔 지붕 형태의 뒷면이 결합한 건물의 모습은 얼핏 보아도 로마에 있는 고대 신전 판테온에서 영감을 얻은 듯하다. 하지만 로마에 있는 판테온은 신을 모시는 곳이고, 파리의 팡테옹은 대혁명 시대에 국가의 위인들을 모시는 곳이 되었다.

* 도널드 서순, 『유럽문화사 II』, 뿌리와 이파리

④ 팡테옹

한껏 기대를 품고 언덕을 올라서 마침내 팡테옹의 정문을 마주했는데, 이게 무슨 일이란 말인가? 늦은 시간도 아닌데, 문은 닫혀 있고 방문객들은 먼발치에서만 팡테옹의 전경을 바라보고 있었다. 알고 보니 프랑스 연금개혁에 반대하는 파업 때문에 문을 닫은 것이었다. 어쩔 수 없이 우리는 다음 날 다시 오기로 하고 자리를 떴다. 그나마 다행으로 이곳은 우리 숙소와 많이 떨어져 있지 않았다.

지금의 팡테옹 자리에는 5세기부터 성당 건물이 있었다. 1757년에 루이 15세는 건축가 수플로에게 낡은 중세의 성당 건물을 웅장한 새 건물로 대체하는 건축 프로젝트를 맡겼다. 수플로는 18세에 로마로 가서 건축을 공부하고 25세에 프랑스로 돌아와 리옹시의 건축가가 된 사람이었다. 그는 당시 고전 건축에서 영감을 얻은 신고전주의 양식에 심취해있던 사람으로, 루이 15세의 정부였던 퐁파두르 후작 부인과 가까운 사이였다. 그 덕분에 그가 루이 15세로부터 새로운 성당 건축 프로젝트를 맡은 것으로 추정된다.

팡테옹의 외부 전경

팡테옹의 내부 전경

새로운 성당 건물은 1790년에 완공되어 프랑스 신고전주의 양식의 선구적인 건물이 되었다. 프랑스 대혁명이 발발한 직후에 완공된 이 건물은 대혁명의 지도자들에 의해 프랑스의 국가적 사당으로 선포되었다.

> "파리의 수호성인인 주느비에브에게 헌정된 이 도시의 중요한 신고전주의 성당은 프랑스 혁명기에 교회의 재산을 몰수당하고 팡테옹으로 다시 명명되었다."*

* 데이비드 어윈, 『신고전주의』, 한길아트

지하 묘소 전경

당시의 프랑스인은 자신들을 새로 태어난 아테네 시민으로 간주하여 이 건물에 자유와 평등의 정신을 불어넣었다. 웅장하고 아름다운 팡테옹은 근대 서구 건축사에 큰 자취를 남긴 건물이며, 지하에 있는 묘소 또한 문화사적인 의미를 담고 있다.

본당의 전면 구석에 있는 계단을 따라 지하로 내려간 우리는 지하 묘소의 전경에 감동했다. 수수하면서도 중후하고, 역사적인 향기가 물씬 풍기는 공간이었다. 이곳의 수많은 관은 몇 개씩 나뉘어 소규모 석실분들로 분산되어 안치되어 있다. 석실분으로 들어가지 않고 열린 홀 공간에 안치된 관은 볼테르와 루소뿐이었다. 이로써 두 사람의 특별한 역사적 의미가 느껴졌다. 한편 두 사람의 관이 통

볼테르의 조각상과 관

로를 사이에 두고 마주 보고 있었는데, 혹시나 두 사람이 생시에 논쟁의 맞수였음을 표현한 것은 아닐까 하는 어리석은 생각이 잠시 들었다. 살아야 맞수도 있는 것이지, 유골에 맞수가 어디 있을까.

계몽주의 작가인 볼테르의 유골은 1791년에 이곳에 안치되어 지금까지 남아있다.

19세기에 프랑스 시민계급의 서재에 가장 흔하게 꽂혀 있었던 책이 바로 볼테르의 저서였다고 한다. 즉 그 시대에 그의 저작은 시민계급의 지적 품위를 상징했다는 얘기가 된다. 대표적인 계몽주의 작가인 볼테르(1694-1778)는 파리의 공증인 집안에서 태어났다. 그는 날카로운 비판 정신을 가졌던 작가로서 "수도사들이 하는 짓이란 노래 부르고, 먹고, 똥 싸는 일이다"라는 유명한 글을 쓰기도 하였다.* 볼테르는 부르봉 왕조의 앙시엥 레짐(구체제)에서 불평등과 전제정치를 비판하는 바람에 한때 바스티유 감옥에 들어갔다가 풀려났고, 이후 영국으로 건너가 계몽주의와 자유주의 사상을 키웠다. 그는 30대 중반부터 프랑스와 스위스 등에 체류하면서 저술에 몰두하여 진보

* 이영림 외, 『근대유럽의 형성』, 까치

적인 소설, 시, 수필 등을 발표하고 '볼테르의 시대'를 열었다. "파렴치를 분쇄하라"라는 유명한 구호를 외치며 그 시대의 모든 압제와 싸웠던 그는 프랑스 대혁명을 보지 못하고 죽었다. 하지만 그는 대혁명의 정신에 큰 영향을 준 사람이었기에 대혁명의 선구자로 인정받아 팡테옹에 안치되는 영광을 누렸다.

"볼테르가 당시 사람들에게 인기가 좋았다면서요?"
"그는 가는 곳마다 사람들에게 뜨거운 환영을 받았지. 예를 들어 그가 극장에 나타나면 연기자와 관객이 그에게 기립 박수를 쳤고, 그가 마차를 타고 지나가면 사람들이 마차를 따라다녔다고 하더군."

루소(1712- 1778)는 스위스 제네바에서 시계공의 아들로 태어나 10세 이후로는 사실상 고아로 성장해 학교 교육을 받지 못했다. 16세가 되던 해 그는 프랑스로 건너가서 후원자를 만나 다양한 학문을 접하고 계몽주의 사상가가 되었다. 그는 대표작 『사회계약론』에서 사람들은 자유와 평등을 누리기 위해 계약을 맺고 국가를 만들었는데, 그 국가나 정부가 국민의 자유를 억압하거나 국민을 불평등하게 만든다면, 국민이 그 국가나 정부를 계약 파기자로 간주하여 끌어내릴 수 있다고 주장하였다.* 루소의 사회계약론에 담겨 있는 '국민주권론', 즉 '국가의 주권은 국민에게 있다'라는 사상은 프랑스 대혁명의 정신적인 토대가 되었다. 『사회계약론』은 당시 파리의 진보적인 사상가들 사이에서 가장 인기 있는 서적이었다. 급

* 조국, 『조국의 법고전 산책』, 오마이북

루소의 관　　　　위고의 관

진파 자코뱅당의 지도자 로베스피에르가 열렬한 루소 추종자였기에 이런 말이 나오기도 했다.

> "루소가 머릿속으로만 생각했던 것을 로베스피에르는 단두대와 함께 실현시키려고 했다."*

프랑스의 문호 알렉상드르 뒤마, 빅토르 위고, 에밀 졸라의 무덤이 한 석실분에 함께 안치되어 있다.

위고(1802-1885)는 프랑스 동부의 브장송에서 나폴레옹 군대 고급장교의 아들로 태어났다. 그는 '19세기의 국민 작가'로서 대중의 사랑을 받았을 뿐만 아니라 동시에 학계에서도 대작가로 추앙을

* 막스 크루제, 『시간여행 3』, 이끌리오

받았다. 프랑스 낭만주의 문학을 대표하는 그의 작품은 지적이면서도 정치성이 강하다. 그는 사상적으로 민주주의를 표방했으며 공화국을 지지한 사회적이고 정치적인 작가로, 가난하고 억압받는 사람들의 곤경에 주목하였다. 그는 독재자 나폴레옹 3세에 반대했다가 19년간 망명 생활을 겪었고, 나폴레옹 3세의 몰락과 함께 대중들의 열렬한 환영을 받으며 귀국했다. 그의 대표적인 작품으로는 『파리의 노트르담(노트르담의 꼽추)』과 『레미제라블』이 널리 알려져 있다. 그가 망명 시절에 집필하여 1862년에 벨기에에서 출간된 『레미제라블』에서는 수많은 악인과 빈곤한 사람들의 심리와 행위, 그리고 인간성의 어둡고 모순적인 부분들이 날카롭게 지적된다.

> "궁핍한 생활 속에서 인간은 거의가 품위를 잃게 된다. '불쌍한 사람'과 '파렴치한' 이 두 가지는 서로 구별할 수 없게 돼 '레 미제라블'이라는 한 마디로 표현되는 것이다."*

그러나 그가 이 작품에서 마지막으로 말하고 싶었던 것은 인간 내면에서의 변화 가능성 그리고 양심과 사랑의 위대한 힘이었다. 주인공 장발장은 자신의 내면에 새로운 마음을 담은 사람이었고, 그 계기는 바로 잠들어 있었던 양심의 각성이었다.

위고는 뛰어난 문학적 업적들을 남겨서 말년에 국민 작가로 추앙받았다.

* 빅토르 위고, 『레미제라블』, 서교출판사

"1881년의 일흔아홉 살 생일에는 50만 인파가 위고의 집 창문 앞을 지나며 축하 인사를 건넸다. 그가 살던 엘로 가는 빅토르 위고 가로 이름을 바꾸었고, 근처의 사거리 역시 빅토르 위고 광장이 되었다. 그의 장례식에는 그때의 파리 인구보다 많은 200만 명이 운집했다."*

『몽테크리스토 백작』과 『삼총사』로 유명한 작가 뒤마(1802-1870)는 일간지 연재소설로 명성을 얻은 사람이다. 1845년에 책으로 출간된 『몽테크리스토 백작』은 세계에서 가장 많이 번역된 소설이자 연극과 영화로 가장 널리 각색된 소설 가운데 하나이다. 뒤마는 평생 200편 이상의 작품을 발표한 '대량 생산' 작가로도 유명하다. 할머니가 흑인인 혼혈아로 태어났다는 점이 평생 그의 심리에 영향을 주었다고 알려져 있다. 바람둥이로도 유명한 그는 여배우와 결혼한 뒤에도 수많은 여성과 밀회를 즐겼고 적어도 네 명의 사생아를 두었는데, 그중의 한 명이 『춘희』를 쓴 작가 알렉상드르 뒤마 피스이다. 그는 동갑내기인 빅토르 위고에게 가려져 있었고 프랑스 한림원 회원으로 뽑히지는 못했지만, 그의 유골은 2002년 그의 탄생 200주년 기념행사와 함께 팡테옹으로 이장되어 '사후 영광'을 누렸다.

졸라(1840-1902)는 파리에서 태어난 프랑스의 대표적인 사실주의 작가이다. 사회에 대한 정확하고 과학적인 표현으로 명성을 얻은 그는 사회 정의 의식이 강한 언론인이기도 하였다. 그의 정의

* 도널드 서순, 『유럽문화사 II』, 뿌리와 이파리

뒤마의 관

심과 진보적 성향은 드레퓌스 사건(1894)에서 명백하게 드러난다. 이 사건은 제3공화국 시절에 반유대주의에 빠져있던 극우 보수파들이, 당시 프랑스군 총참모부에서 근무하는 유대인 대위 드레퓌스가 독일에 군사 기밀을 팔아넘겼다고 모함한 것에서 시작되었다. 드레퓌스는 군사재판에서 유죄 선고를 받고 대서양에 있는 악마의 섬에 종신 유배되었다. 이 사건에 분노한 졸라는 「나는 고발한다」라는 제목의 신문 논설에서 프랑스 극우 보수파를 맹렬하게 비난하며 정의를 짓밟은 정부, 사법부, 군부를 고발하였다. 6년에 걸친 투쟁 끝에 드레퓌스는 행정 명령으로 석방되었고, 다시 6년이 흐른 뒤 대법원에서 무죄를 선고받아 군대에 복귀하게 되었다. 졸라는 1902년 자택에서 일산화탄소 중독으로 사망했는데, 굴뚝 청소부가 극우파의 밀명을 받고 굴뚝을 막아 놓았음이 드러났다.

졸라의 관

미국의 소설가 마크 트웨인은 졸라를 이렇게 평가했다.

> "나는 졸라를 향한 존경과 가없는 찬사에 사무쳐 있다. 군인과 성직자 같은 겁쟁이 위선자 아첨꾼은 한 해에도 백만 명씩 태어난다. 그러나 잔 다르크나 졸라 같은 인물이 태어나는 데는 5세기가 걸린다."*

지하 묘소 관람을 마치고 다시 1층으로 올라가려고 했지만, 우리가 걸어 내려온 계단이 보이지를 않았다. 지하 묘소가 워낙 크고 내

* 에밀 졸라, 위키백과

푸코의 진자

부가 복잡하다보니 방향을 잃은 것이었다. 이곳저곳 온 구석을 헤매도 계단을 찾을 수가 없어서 이러다 지하 묘소에서 밤을 지새우는 것이 아닐까 기우하던 중에 눈에 띈 안내원의 도움으로 계단을 찾게 되었다. 1층으로 올라오니 바닥의 한복판에 그려진 원판과 그 위로 매달린 진자의 주변에서 관람객들이 구경하는 모습이 보였다.

이것은 1851년에 프랑스의 물리학자 푸코가 지구의 자전을 입증하기 위하여 팡테옹의 중앙 돔 천장에 매단 진자이다. 길이 67m인 진자가 왕복운동을 하는데 진동면 자체가 시계 방향으로 움직이므로 지구는 그 반대 방향으로 움직인다는 사실이 입증된 것이었다. 이곳에서 관람객들은 근대 서구의 과학적 발견을 직접 느껴볼 수 있다.

Ⅲ. 대혁명 시대 이후의 파리

오늘날 파리를 빛나게 하는 많은 명소는 대혁명 시대 이후에 출현하였다. 루브르 박물관과 가까운 곳에 있는 오페라 가르니에는 눈에 띄는 화려한 자태를 뽐내고 있어 우리가 내비게이션이 없이도 찾아갈 수 있었다.

오페라 가르니에 전경(Wikipedia)

1 오페라 가르니에와 몽마르트 언덕

오페라 가르니에는 파리에 있는 최고의 국립 오페라극장이다.

화려한 신바로크 양식으로 단박에 눈길을 끄는 이 건물은 황제 나폴레옹 3세의 주문을 받아서 건축가 '가르니에'가 1875년에 완공하였다. 신고전주의 양식의 건축물들이 파리에서 주류를 이루었던 이 시절에 신바로크 양식의 가르니에 오페라하우스는 화려함으로 명성을 날렸다. 이 건물은 이후에 유럽에서 새로 건축된 많은 오페라하우스의 모범이 되기도 하였다.

우리가 이곳을 찾았을 때는 건물 외부의 전면 일부가 공사 중이었다. 그래서 그 유명한 이 건물의 전면 파사드를 사진에 담지 않고 독자들에게 원래의 모습을 보여주기로 했다.

우리는 이 건물의 외부를 둘러보다가 책이나 인터넷 사이트에는 흔히 나오지 않는 이 건물의 측면에 나름대로의 아름다움과 개성이 있다는 것을 발견하였다. 그래서 '꿩 대신 닭'이라는 말처럼 측면을 사진에 담았다. 건물의 상단에는 위대한 음악가들의 얼굴과 이름을 새긴 석판들이 나란히 늘어서 있었다. 로시니, 베토벤, 모차르트 등 우리가 알 만한 이름들이 눈에 띄었다.

오페라 가르니에 측면

극장의 무대와 관객석은 당대에 가장 흔한 형태로 만들어졌지만, 황제 일가와 의기양양한 관객들에게 축제 기분을 제공하기 위하여 사치스럽게 꾸며졌다.

1940년 6월 독일군이 프랑스를 점령했을 때, 독일의 독재자 히틀러가 파리에서 카 퍼레이드를 마친 뒤 이곳 오페라 가르니에를 방문하고 감동했다는 이야기가 있다. 바그너의 오페라에 깊이 빠져 있던 그는 자신의 전속 건축가 슈페어에게 이곳을 능가하는 오페라하우스를 베를린에 지어야겠다고 말했다고 한다.

우리는 오페라하우스 맞은편에 있는 카페에 앉아 커피를 마시면서 오페라와 관련된 많은 이야기를 나누었다.

오페라하우스 내부(Wikipedia)

"오페라는 이탈리아에서 시작되었잖아요?"

"오페라는 1600년경에 이탈리아 피렌체에서 최초로 공연된 후로 베네치아에서 크게 번성하였고, 점차 서유럽 전역으로 퍼져서 근대 서구 사회 최고의 공연예술이 되었지. 17세기에는 베네치아 오페라에서 변성기를 지나지 않은 소년들의 소프라노가 인기를 끄는 바람에 어이없는 일이 발생했어."

"어이없는 일이라뇨?"

"돈에 미친 부모들이 자기 아들들에게 어이없는 짓을 자행한 것이지."

"혹시 거세?"

"맞아. 목소리가 굵어지는 것을 막으려고 아들들을 거세한 것이지. 그 바람에 그 아이들은 늙어서 자신을 부양해줄 자식이 없어 비참하게 되었지."

"조선 시대 말기의 내시만도 못한 팔자가 되었군요."

커피만 가지고는 분위기가 살아나지 않아서 우리는 붉은 포도주를 주문했다. 역시 술잔을 들어야 수다를 떨 기분이 생기는 것은 어디서나 마찬가지였다.

“오페라의 출현 배경은 무엇인가요?”

“고전 문명의 부흥인 르네상스와 관련이 있어. 초기에는 고대 그리스의 연극을 노래 형식으로 변형시킨 것이었거든.”

“18세기 후반에는 모차르트의 오페라 〈피가로의 결혼〉이 최고의 화제가 되었다고 하던데요.”

“맞아. 〈피가로의 결혼〉은 모차르트가 이탈리아 나폴리풍의 희극 오페라로 작곡한 것인데, 귀족의 특권 남용과 뻔뻔함을 풍자적으로 비판해서 화제가 되었지. 18세기 계몽주의의 정신이 표현되었다는 평을 받기도 했어.”

“19세기는 이탈리아 오페라의 전성시대였지요?”

“그렇지. 로시니에서 시작해서 도니체티, 베르디 그리고 마지막으로 푸치니가 연속적으로 출현해 19세기 최고의 작품들은 대부분 이탈리아 작곡가들에 의해 만들어졌어.”

19세기 파리에서 시민계급이 가장 열광한 공연 문화는 바로 오페라였다. 17-18세기에는 귀족들이 즐기던 오페라가 19세기에 들어와 부유한 시민계급의 문화생활로 정착하자, 극장의 경영자들은 더 많은 관객이 입장할 수 있도록 박스석 규모를 줄이고 일반석 규모를 늘리는 쪽으로 극장을 개조하였다. 19세기 파리에서 공연된 오페라 중 대체로 인기가 있었던 것은 이탈리아 오페라지만, 19세기 중반부터는 프랑스 스타일의 ‘그랜드 오페라’가 발레와 합창을 동원한 화려한 연출로 주목을 받았다.

“19세기에 상연된 대표적인 프랑스 오페라로는 어떤 작품이 있나요?”
“비제가 작곡한 오페라 〈카르멘〉이 있어. 1875년 파리에서 초연되었을 때는 비평가들에게 실패작이라는 평을 들었지만, 훗날 프랑스 오페라 중에서 최고 인기를 누리는 작품이 되었지.”

19세기 중반 파리의 오페라극장에서는 ‘박수 부대’를 고용하는 것이 관행이었다. 동원된 청중 일부가 열광적으로 환호하면 나머지 청중들의 반응도 뜨거워진다는 심리적 전염 현상을 이용한 것이었다. 오페라극장의 박수 부대는 공짜 표를 받는 대가로 분위기를 고조시킬 뿐만 아니라, 때로는 테너 가수의 고음 처리가 불안정해지면 요란스럽게 박수갈채를 해서 그 부분을 감추어 주는 역할까지 하였다.[*] 이들은 나아가서 공연에 대한 평가까지 공개적으로 발표했는데, 요즘으로 치자면 온라인 쇼핑몰 상품에 의도적으로 ‘강력 추천’ 평을 하는 것과 같은 방식이다.

“베르디의 오페라 〈라트라비아타〉를 알지?”
“뒤마 피스의 소설 『춘희』를 원작으로 한 것이잖아요.”
“맞아. 〈라트라비아타〉가 1853년에 초연되었는데 결과는 흥

* 도널드 서순, 『유럽문화사 II』, 뿌리와 이파리

행 실패였어."

"근데, 왜 실패했나요?"

"폐병으로 죽어가는 여주인공 비올레타 역을 맡은 소프라노 도나텔리가 지나치게 통통해서, 그녀가 폐병으로 야위어간다는 내용이 우스꽝스러웠다는 것이었어."

"하하, 소프라노치고 마른 여자는 못 보았는데 어찌하죠. 아, 조수미가 있어요."

해발 130m에 이르는 몽마르트 언덕은 파리에서 가장 높은 지역이다. 정상까지 걸어서 올라갈 수 있도록 만들어진 '몽마르트 계단'은 낭만적인 장소로 유명하다.

몽마르트 언덕은 고대 시대까지 소급되는 역사가 제법 깊은 곳이다.

고대 로마 제국 시대에 두 개의 신전이 있었던 이곳은 석고의 원료인 황산칼슘 광산이 개발되어 일찍이 경제적으로 번영한 지역이다. 중세 시대였던 12세기에는 이곳에 베네딕트 수도원이 세워졌다.

날씨가 흐리기는 했지만 몽마르트 언덕에 올라간 우리는 제일 먼저 파리의 전경이 잘 보이는 곳에서 사진을 찍었다.

19세기에 들어서 파리 시내의 물가가 너무 오르자 많은 사람이 몽마르트로 몰려와서 생활하기 시작했고, 그 바람에 이곳의 인구는 급속히 증가하였다.

몽마르트 계단

몽마르트 언덕에서 보는 파리 전경

보불전쟁이 끝난 후인 1873년에 프랑스 국민의회는 보불전쟁 중에 희생당한 프랑스인들을 추모하기 위하여 몽마르트 언덕에서 제일 높은 곳에 '사크레쾨르 대성당'의 건축을 결정하였다. 보불전쟁에서의 패배 이후 강해진 프랑스인의 민족의식이 가톨릭 신앙과 깊이 결합하여 성당 건축의 동기가 된 것으로 보인다.

사크레쾨르 대성당으로 빠르게 발길을 옮기는 우리를 경찰이 제지했다. 테러 위기 상황이 발생하여 접근이 완전히 금지되었다는 설명을 듣는 순간 "계획은 사람이 세우되, 뜻을 이루는 것은 하늘의 도움이 있어야 된다"라는 『삼국지』 속의 말이 떠올랐다. 하는 수 없

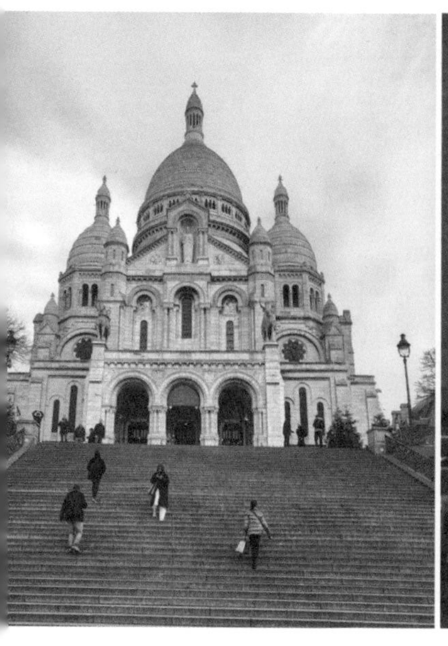

사크레쾨르 대성당 외형

사크레쾨르 대성당 내부 전경

이 그날은 몽마르트 언덕의 정취만을 즐겨야 했고, 성당 구경은 다음 날로 미뤘다.

1875년에 착공되어 1919년에 완공된 이 성당은 빛나는 흰색 석조의 인상적인 외형과 탁월한 위치로 인하여 몽마르트 언덕의 상징물로 군림하고 있다. 흔히 신비잔틴 양식이라고 불리는 이 건물은 이스탄불에 있는 하기아 소피아 성당과 베네치아에 있는 산마르코 성당에서 영감을 얻은 것으로 알려져 있다.

실제로 이 건물을 보니 돔 지붕과 내부의 모자이크는 비잔틴 양식이지만 기둥, 리브, 스테인드글라스 등은 고딕 양식을 따랐다는 것을 알 수 있었다.

양팔을 벌린 예수의 심장

성당의 내부에서 가장 인상적이고 예술적 가치가 높은 작품은 앱스에 있는 대형 모자이크로서 '양팔을 벌린 예수의 심장'을 묘사한 것이다.

우리는 과거에 예술가들이 몰려 살던 곳으로 이동했다.

"19세기부터 몽마르트 지역에 예술가들이 몰려든 이유가 무엇인가요?"
"몽마르트 지역은 파리 시내에 비해 물가와 방세 등이 저렴해서 가난한 예술가들이 생활하기에 유리했고, 게다가 이곳의 사회적 분위기가 자유분방했기 때문이지."

마침내 몽마르트 지역은 예술가들의 아성이 되어버렸다. 이곳에서 생활하며 예술 활동을 했던 대표적인 화가로는 세잔, 고흐, 고갱, 피카소 등을 들 수 있다.

> "전 세계의 미술가들이 당대의 지도적인 미술가들에게 배우기 위해, 또 무엇보다도 몽마르트의 카페에서 이루어지는 끝없이 계속되는 미술에 관한 토론을 함께 하기 위해 파리로 몰려들었다."*

'Le Bateau-Lavoir'은 피카소, 고갱 등 당대의 화가들이 모여 살던 공동 아틀리에이다. 당시 몽마르트에 자리 잡은 화가들은 예술성 높은 작품을 창작하기 위해 몰두하였다. 19세기 파리에서 새로운 예술 수요층으로 떠오른 시민계급이 원한 것이 바로 예술성 높은 작품이었기 때문이다. 오늘날에는 화가들이 '테르트르 광장'에서 자신들의 작품들을 제작하거나 전시하면서 관광객들의 발길을 끌어당기고 있다.

Le Bateau-Lavoir

화가들이 몰려 있는 테르트르 광장에는 예술적이고 낭만적인 분위기를 듬뿍 풍기는 카페들이 많이 있다.

* E.H.곰브리치, 『서양미술사』, 예경

테르트르 광장

테르트르 광장의 카페에서

술을 마시며 지나가는 사람들과 광장의 화가들을 바라보고 있자니 어느새 이곳의 분위기에 휘말렸는지, 다음 생애에는 화가가 되는 것이 어떨까라는 생각이 잠시 스치고 지나갔다. 이곳에서 우리들의 파리 여행은 낭만의 정점에 도달한 듯하였다.

19세기에 파리로 몰려든 예술가 중에는 작가도 많이 있었다. 1831년에 뒤르방이라는 프랑스의 젊은 기혼녀가 파리로 왔다. 그녀는 감옥과도 같은 가정을 떠나 자유롭게 살면서 작가로 성공하고 싶어 했다. 하지만 당시 파리의 출판계는 여성 작가에게 냉담했다. 그녀는 작가로 데뷔하기 위해 변신을 하기로 했는데, 구체적으로 남성적인 이미지를 부각해서 세상의 관심을 얻으려고 한 것이다. 그녀는 남성적 복장을 하고 파이프 담배를 피웠으며 때로는 거친

외젠 들라쿠루아, 〈조르주 상드의 초상〉

표현을 쓰기도 했다. 마침내 파리의 사람들은 그녀에게 호기심과 매력을 느끼게 되었고, 그 덕분에 그녀의 첫 작품이 출간되기에 이르렀다. 이때부터 그녀는 자신의 필명을 '조르주 상드'로 하였다.[*]

상드는 이후 파리에서 쇼팽, 리스트 같은 당대의 유명한 예술가들과 애정 행각을 벌이면서 화제를 뿌리고 다녔다. 작가로서 그녀는 많은 낭만주의 소설을 출간하여 인기를 얻었으며, 원고료를 두둑하게 받은 것으로도 유명하다. 그녀는 당대 시민계급의 도덕규범에 대한 반항아이면서 최초의 여성 해방 작가로도 알려져 있다. 사실 규범보다 자유를, 이성보다 감성을 중시한 것이 19세기 낭만주

* 로버트 그린, 『권력의 법칙』, 웅진지식하우스

물랭 루주

캉캉(Wikipedia)

의 문예사조의 특징이기도 하다.

몽마르트 언덕을 거의 내려와 평평한 지역에 도달하면 희한하게 생긴 건물과 마주친다. 이른바 카바레의 대명사인 '물랭 루주'이다.

물랭 루주(Moulin Rouge)는 1889년에 생겼는데, '빨간 풍차'라는 의미의 상호는 건물 옥상에 있는 빨간 풍차 장식 때문에 붙여졌다고 한다.

물랭 루주는 프랑스 근대 유흥 문화의 상징으로 여겨지는데, 그 유명한 춤 '캉캉'이 여기서 탄생하였다.

사실 우리는 카바레에는 가본 적이 없지만, '물랭 루주'라는 이름은 많이 들어보았기에 한번 들어가고픈 유혹이 잠시 발동했다. 술과 춤도 문명의 한 부분이 아니던가 하는 핑계도 떠올랐지만, 절약해야 한다는 생각이 스치면서 잠시의 충동은 사라졌다. 게다가 춤

개선문과 주변(Wikipedia)

을 못 추면서 카바레에 들어서는 것도 어불성설이 아닌가.

몽마르트 언덕에서 내려온 우리는 개선문으로 향했다. 개선문은 1806~1836년에 건설되어 오늘날 파리를 상징하는 건축물 중의 하나가 되었다. 1853년에 시작된 파리 재개발에서 파리 시장인 오스만 남작이 개선문 주변을 시가지의 중심으로 삼으면서 커다란 광장을 만들어 오늘날의 샤를 드골 광장이 되었다.

② 개선문과 앵발리드

"파리 시가지의 중심은 커다란 광장에 아름다운 도로가 별 모양으로 연결된 개선문 주변이다. 19세기에 이곳은 아름다운 옷을 입은 여인들이 뚜껑을 열어젖힌 마차를 타고 지나가는 행렬로 장관을 이루었던 장소였다."*

1805년 12월, 오스트리아와 러시아의 연합군을 격파한 나폴레옹은 그 영광을 기념하기 위해 개선문 공사를 계획했다. 그가 로마에 있는 콘스탄티누스 개선문에서 착안한 이 계획은 1806년 8월 개선문이 착공되면서 현실로 이행되었다.

그는 파리에서 통치하는 유럽제국의 황제가 되려 했고, 그것은 과거 로마 제국의 황제를 재현하는 것이었다. 그래서 그의 승전 기념물은 로마 황제의 기념물을 연상시키는 형태였다.

* 막스 크루제, 『시간여행 3』, 이끌리오

개선문 전경

1810년 나폴레옹이 오스트리아 공주와 결혼할 때는 아직 네 개의 기둥만 지어진 상태였는데, 그는 성대한 결혼식을 위해 임시로 나무와 석고로 아치를 만들어 올리게 하였다.

나폴레옹은 황제가 되기 전인 1796년에 6살 연상의 아름다운 이혼녀인 조세핀과 결혼하여 훗날에는 그녀를 황후로 만들어 주었지만, 그녀가 지나치게 사치스럽고 불륜을 자주 저지르는 바람에 이혼하였다. 그러니까 오스트리아 공주와의 결혼은 나폴레옹에게는 재혼이 되는 셈이다.

나폴레옹의 결혼식(Wikipedia)

"나폴레옹이 진심으로 사랑했던 여자는 조세핀 하나밖에 없었다는 이야기를 들었어요."

"그런지도 모르지. 남녀 간의 사랑은 원래 불합리의 극치라고 하잖아. 나폴레옹이 황제라는 점을 고려하면 아이를 못 낳는 조세핀이야말로 황후로서 쓸모없는 여자였고, 반면 오스트리아 공주는 자신의 미천한 출신을 커버하고 정치적 기반을 강화하기 안성맞춤인 재혼 상대였을 거야."

"그의 새 부인이 된 오스트리아 공주와는 어떻게 되었나요?"

"나폴레옹이 정치적으로 최악의 상태에 놓였을 때 그녀는 나폴레옹을 버리고 떠났어. 그래서 나폴레옹이 사랑한 여자는 조세핀 하나밖에는 없었다는 말이 나왔는지도 모르지."

"나폴레옹의 여성관은 어땠나요?"

"그는 법 앞에서 만인이 평등하다고 주장하면서도 한편으로 여자는 남자에게 순종할 의무가 있다는 낡은 생각을 가졌었다고 하더군."

1814년, 나폴레옹의 몰락과 함께 부르봉 왕정복고가 이루어지면서 개선문 공사는 잠정 중단 상태에 처했다. 개선문은 루이 18세가 사망한 해인 1824년이 되어서야 다시 지어지기 시작했고, 1830년의 7월 혁명으로 보위에 오른 오를레앙 공 루이 필립의 지시로 완공에 이르렀다. 그는 나폴레옹이 처음에 구상했던 형태로 개선문 공사를 계속하여 1836년에 완성하였다.

완성된 개선문은 고대 로마의 건축 양식으로 높이 50m, 넓이 45m 그리고 깊이 22m의 거대한 건축물이 되었다. 아치의 하단에는 네 개의 조각 군상이 있고 내부 벽면은 작은 박물관처럼 보인다.

개선문을 완공한 국왕 루이 필립은 의례나 겉치레를 싫어했고 귀족보다는 은행가들이나 사업가들과 가깝게 지냈다. 그는 한가롭게 산책 나온 부유한 시민계급처럼 회색 중절모를 쓰고 우산을 든

아치의 내부 군인 리스트

모습으로 파리 시내를 걸어 다니고는 했다. 그래서 그는 흔히 '시민왕'이라고 불린다. 사실 그는 정치보다는 돈벌이에 더 큰 관심을 보였다. 정치적으로 무능했던 그는 시간이 지날수록 대중에게 인기를 잃고 무시를 당하기도 하였다. 한번은 왕족들을 위한 기차 여행을 앞두고 그가 약속된 시간보다 늦게 도착했다는 이유로 대은행가 한 명이 공개적으로 망신을 준 적도 있었다.* 한마디로 국왕이 '호구' 취급을 받은 것이었다. 결국 1848년에 2월 혁명이 발생하여 파리의 군중들이 왕궁을 둘러싸자 그는 왕위를 버리고 영국으로 도망갔다. 그리하여 프랑스는 공화국이 되었다.

마치 작은 박물관처럼 보이는 내부 벽면 중 특히 프랑스 군인 660명의 이름이 새겨져 있는 벽면이 독특하다. 이들은 제정 나폴레

* 로버트 그린, 『권력의 법칙』, 웅진지식하우스

무명용사의 묘비

옹 시대(1804-1814)와 프랑스 혁명기(1789-1799)에 활동하였던 사람들인데, 전사자의 이름에는 밑줄이 그어져 있다.

아치 바닥에는 1차 대전에서 사망한 병사들을 추모하는 무명용사의 묘비가 있다.

개선문은 유럽 전역을 정복한 전쟁 영웅 나폴레옹의 흔적이 남아있는 장소이다. 하지만 그로 인해 유럽 전역에서 점화된 민족주의의 열기가 전 유럽을 전쟁터로 만든 사실을 생각하면, 개선문을 바라보는 시각이 마냥 고울 수만은 없다. 그러나 프랑스인의 시각에서는 나폴레옹과 개선문이 마냥 자랑스러울 터이다.

개선문에서 콩코르드 광장 사이에 있는 2km의 거리인 샹젤리제는 '엘리시온 들판'이라는 뜻으로, 고대 그리스인들이 행복한 영혼이 죽은 후에 간다고 믿었던 곳을 의미한다.

세계에서 가장 아름다운 거리로 불리는 이곳에서 유독 눈에 띄는 것은 많이 들어본 이름의 명품 판매점들이었다. 특히 유명한 어떤 명품 판매점 앞에는 극장 매표소 앞처럼 사람들이 줄 서 있었다. 아마도 특별 할인 판매가 있는 것 같았다. 샹젤리제 거리에서 센강 방향으로 틀어서 조금만 안쪽으로 들어가면 한적한 골목에 분위기 있는 레스토랑이 여럿 있다. 우리는 조금 고전적인 레스토랑으로 들어가서 창가에 자리 잡았다. 거리를 지나가는 사람들과 풍경을 보면서 닭고기 요리와 비프스테이크를 포도주와 함께 들며 즐거운 담소를 나누었다. 이 집의 웨이터는 우리를 처음 볼 때부터 "안녕하세요"하고 한국말로 인사를 하더니, 식사 중간에는 우리에게 칠리소스를 갖다 주었다. 파리를 찾아오는 한국인이 워낙 많기도 하지만, 한국의 위상이 많이 향상된 것도 사실인 듯하였다. 마주 보이는 테이블에는 골든 레트리버를 데려온 사람이 식사하고 있었는데, 테이블 아래에는 개 전용 밥그릇이 있었다. 파리는 사람과 개가 함께 행복을 향유하는 도시인 듯했다.

멀리서 바라본 알렉산드로 3세 다리는 화려한 아름다움을 자랑하고 있었다. 날씨가 맑았더라면 그 아름다움은 더욱 빛났으리라.

샹젤리제 거리의 풍경

알렉상드르 3세 다리 전경

우리는 샹젤리제에서 이 다리 방향으로 걸었다. 파리에서 가장 아름답고 정교하기로 유명한 이 다리에 러시아 황제 알렉상드르 3세의 이름이 붙여진 사연은 그가 1892년에 프랑스-러시아의 공조를 성사시켰기 때문이라고 한다.

마침내 도착한 알렉상드르 3세 다리 위에서는 황금빛 조각상들이 흐리고 침울한 세상을 환하게 밝혀주고 있었다. 내가 평소에는 싫어하는 황금빛이 이럴 때는 쓸모가 있었다. 어쩌면 화려한 이 다리에 가장 잘 어울리는 색인지도 모른다. 세상 만물은 어울림 속에서 가치를 드러내는 것이 아니던가.

알렉상드르 3세 다리 위에서

다리 입구에서 보는 센강

"참, 파리의 주민들이 센강의 물을 마시고 살았나요?"

"17세기부터는 센강의 물이 상수도 시설을 통해 주민들에게 공급되었어. 하지만 경제적으로 여유로운 사람들은 강물을 식수로 사용하지 않고 물장수들이 갖다 주는 식수를 샀다고 하더군. 18세기에는 파리에 약 2만 명의 물장수가 있었데. 옛날 서울의 북청 물장수 같은 것이지."

"아니, 어떻게 물장수가 그렇게 많을 수가 있었죠?"

"18~19세기는 서유럽 전역의 인구 증가율이 높았던 시대로 많은 사람이 일자리를 찾아서 대도시로 몰려들었는데, 물장수는 그들에게 매력적인 직업이었어."

사실 이 시대에는 높은 인구 증가율이 사회적 문제가 되어 피임술이 널리 퍼지기 시작했는데, 어떤 프랑스 작가는 이런 글을 쓰기도 했다.

"남편들은 열정의 순간에도 집에 자식이 하나 늘어나는 것을 피하려고 조심했다."*

"당시의 여성들이 어느 정도로 출산을 했나요?"
"이 시대의 여성들이 평균적으로 일평생 8~9번의 임신을 했다는 이야기를 읽은 적이 있어. 하지만 이 시대의 높은 인구 증가율은 단순히 출산율 때문만이 아니라 사망률의 감소와 함께 나타난 것이기도 하지."

알렉상드르 3세 다리를 건너니 황금빛 바로크 돔 지붕이 번쩍이는 웅장한 건물이 눈앞에 다가왔다.

앵발리드라고 불리는 이 건물은 현재 군사 박물관으로 사용되고 있는데, 황금빛 돔 지붕 아래 지하에 있는 나폴레옹의 무덤으로 유명하다. 본시 이 건물은 루이 14세에 의해 부상병을 간호하는 시설로 계획되어 1706년에 완공됐지만, 대혁명 이후에는 여러 용도로 활용되었다.

* 페르낭 브로델, 『물질문명과 자본주의 I-1』, 까치

앵발리드 전경

세인트헬레나섬에서 1821년에 죽은 나폴레옹의 유골은 1840년에 파리로 돌아왔고, 1861년부터 이곳에 안치되었다.

> "나폴레옹만큼 프랑스뿐만 아니라 서양 전체에 걸쳐서 신화로서 계속 살아 있는 인물도 찾아보기 어려우리라."*

'시대가 영웅을 만든다'라는 격언에 가장 잘 들어맞는 경우가 바로 나폴레옹이다. 프랑스 대혁명 시대의 혼란이 아니었다면 코르시카섬의 하급 귀족 가문에서 태어난 그가 그렇게 높이 날지는 못했을 테니까.

* 주디스 코핀, 『새로운 서양 문명의 역사 하권』, 소나무

나폴레옹의 무덤

"나폴레옹은 어떤 유형의 사람이었나요?"

"그는 뛰어난 두뇌의 소유자이면서 끊임없이 공부하고 일하는 사람이었고, 지도자로서의 놀라운 능력을 갖춘 사람이었지. 하지만 과대망상이 심했던 것도 사실이야."

"전쟁 영웅으로 유명한 나폴레옹의 통치자로서의 치적은 어떻게 평가되고 있나요?"

"그는 황제라는 호칭을 사용한 독재자였지만 프랑스인에게 안정과 복지 그리고 뛰어난 법전을 가져다준 통치자였으며 동시에 교육과 지식에 열정적이었던 계몽 군주였어."

나폴레옹은 프랑스를 근대국가로 만들기 위해 많은 것을 창조한 반면, 황제의 자리에 올라서 구체제 귀족의 일부와 결탁하고 로마 교황청과 화해하는 등 과거로의 회귀도 시도했던 모순된 인간이기도 하다. 이러한 모순은 흔히 통치자의 자질인 실용성이나 유연성으로 평가되기도 한다.

음악가 베토벤은 본래 자신의 세 번째 교향곡 <영웅(Eroica)>을 나폴레옹에게 헌정하려고 했지만, 나폴레옹이 황제로 등극하자 이 곡의 헌정을 취소하고 이렇게 외쳤다고 한다.

> "이제 그도 역시 인간의 모든 권리를 짓밟고 자신의 야망에만 빠지게 될 것이다."*

하지만 나폴레옹이 특권 없는 세상, 모든 사람이 자신의 능력으로 출세를 할 수 있는 세상을 만들려고 했던 것도 사실이다. 세상사 모든 것이 그러하듯 그에 관한 평가에도 양면성이 있지만, 그가 프랑스인에게 영원한 영웅이라는 것은 확실하다.

우리는 에펠탑을 쳐다보며 걷고 있었다. 높이 솟은 철골 탑은 쉽게 눈에 띄었기에 내비게이션을 사용하지 않아도 방향을 알 수 있었다. 그런데 탑과의 거리가 생각보다 쉽게 좁혀지지 않았다. 우리는 중도에 거리의 레스토랑에서 파스타 요리와 맥주로 요기를 하고는 한참을 쉬다가 다시 출발했다. 마침내 공원의 잔디밭과 나무 사

* 주디스 코핀, 『새로운 서양 문명의 역사 하권』, 소나무

이에서 하늘로 치솟은 철골 건축물이 눈앞에 나타났다. 이 전경은 자연과 인간 기술이 어우러져 만들어낸 현대적 예술이었다. 이곳에서 한가한 오후를 즐기는 사람들이 눈에 많이 띄었다. 그들의 여유로운 삶에서 평화와 행복이 느껴졌다. 다행히 날씨도 조금 좋아져서 우리의 파리 전경 사진 촬영에 도움을 주고 있었다.

3 에펠탑

우리는 에펠탑에 올라가기 위해 별도로 입장권을 구매해야 했다. 한 곳은 엘리베이터를 이용하고, 다른 곳은 계단을 이용하게 되어 있다. 당연히 계단을 이용하는 것이 상대적으로 저렴하다. 우리는 입장권을 구매하면서 직원에서 "걸어서 꼭대기까지 올라가도 괜찮나요?"하고 질문을 했다. 직원은 웃으면서 그렇게 해도 된다고 하였다. 그 웃음의 의미를 올라가면서 깨달았다. 카페가 있는 2층까지 올라가는 것도 너무나 힘이 들었기에, 정상까지 걸어서 올라가는 것은 사실상 사투를 벌이는 일일 터였다.

전 세계 사람들에게 파리하면 가장 먼저 떠오르는 것을 묻는다면, 아마도 에펠탑이라는 대답이 가장 많을 듯하다. 한편 단순히 철골을 높이 올린 것에 불과한 건축물이 왜 이렇게 유명한지 이해가 안 된다는 사람도 많은 것이 사실이다.

> "에펠탑은 익숙하지 않은 이들에겐 조형미나 재질에 있어서 거칠기 짝이 없는 철골 구조물에 불과했다."*

* 위치우위, 『유럽문화기행 I』, 미래M&B

에펠탑 전경

1889년 파리 만국 박람회 포스터(Wikipedia)

이 탑은 완공 직후부터 눈에 거슬린다거나 도시의 미관을 해친다는 비판을 많이 받았다. 이 탑을 싫어했던 소설가 모파상은 의도적으로 탑 안의 식당에서 점심을 해결했다. 그 이유가 무엇이냐는 질문에 대해 그는 이렇게 대답했다고 한다.

> "이곳이 파리에서 유일하게 그 건물을 볼 수 없는 곳이기 때문이지요."

에펠탑에서 보는 파리 전경

이 건축물은 프랑스 혁명 100주년을 기념하기 위해 개최한 1889년 만국박람회장의 입구로 건축되었다. 건축가 에펠의 설계를 바탕으로 철강 자재 1만 8천여 조각이 50만 개의 리벳으로 조립되었다. 총 높이 324m로 파리에서 가장 높은 건축물인 이 탑은 3개의 층으로 구성되어 있는데, 모두가 관광객에게 개방되어 있다.

"파리는 오래된 도시인데 길이 넓고 시가지가 잘 정돈된 것이 신기해요."

"1852년에 황제가 된 나폴레옹 3세가 1853년부터 약 15년 간 낡은 시내 중심가를 다 부수고 새로운 시가지로 재개발을 한 바람에 오늘날과 같은 멋진 도시가 되었지."

"재개발은 어떤 방식으로 이루어졌나요?"

"도로는 품위 있는 모습으로 한 광장에서 다른 광장 또는 중요한 건물들 사이를 연결했고, 낡은 건물을 철거하고는 약 3만 4천 개의 건물을 새로 지었지."

"그런데 도심 재개발을 시행한 구체적인 이유가 무엇인가요?"

"낡은 도심에서 전염병이 자주 발생했기 때문이지."

"어떤 전염병을 말하는 것인가요?"

"주로 페스트, 콜레라 그리고 매독이었어."

"매독은 신대륙에서 들어온 것이지요?"

"맞아. 콜럼버스 일행이 가져온 성병으로 '정복당한 자의 복수'라고 불린 이 병은 4~5년 만에 전 유럽으로 퍼졌어."

난봉꾼으로 유명했던 프랑스의 한 신부가 "(성령으로) 매독을 세 번이나 몸 밖으로 스며 나가게 했다"라고 허풍치고 다녔다는 이야기도 전해진다.* 이는 당시 서구 사회에서 매독 감염이 흔한 일이었다는 것을 암시한다.

* 페르낭 브로델, 『물질문명과 자본주의 I-1』, 까치

"그러고 보니 나폴레옹이라는 이름을 가진 황제가 둘이나 있었네요."
"하하, 나폴레옹과 그의 조카인 루이 나폴레옹(훗날의 나폴레옹 3세)이 약 50년 간격으로 공화국을 무너트리고 황제가 되었지. 보나파르트 집안에는 독재자의 피가 흐르는 것 같아."

나는 잠시 1889년의 파리 만국박람회로 화제를 돌렸다.

"1889년 파리 만국박람회장에서 현대사회의 가장 중요한 기계 중 하나가 최초로 선보여졌어."
"혹시 자동차?"
"맞아. 독일 슈투트가르트 출신의 엔지니어 다임러가 개발한 가솔린 엔진이 장착된 네 바퀴 자동차로 최고 속도는 시속 18km였어. 그가 설립한 자동차 회사는 지금의 다임러-벤츠가 되었고."

1925년에는 에펠탑이 도시 미관을 해친다는 평판을 이용한 기상천외한 사기극이 발생하기도 했다. 사연인즉, 그해 5월에 프랑스의 5대 고철 업체 사장들에게 '에펠탑 철거에 관한 비밀 회의'에 참석해 달라는 편지가 프랑스 정부 고위 공직자 명의로 발송된 것이다. 파리의 최고급 호텔에서 개최된 비밀 회의에서는 편지를 발송한 고위 공직자가 나와 프랑스 정부의 에펠탑 철거 계획을 설명하면서, 에펠탑에서 나오는 고철을 공개 매각할 방침이니 제안 가격을 알려달라고 하였다. 며칠 후에 이루어진 공개 입찰에서 가장 높은 가격을 제안한 어떤 업체가 인수자로 결정되었다. 이 업체의 사장은 에펠탑에서 나오는 고철로 엄청난 이익을 얻게 되리라는 점은 물론, 자신이 에펠탑을 철거한 역사적인 인물이 된다는 사실에 너무도 기뻐했다. 그래서 그는 며칠 후에 그 고위 공직자라는 사람과 사업에 관한 계약을 체결하고 25만 프랑에 해당하는 계약금을 지불하였다. 그러나 얼마 후에 에펠탑 철거 계획은 사기극으로 밝혀졌고, 고위 공직자라고 했던 그 사기꾼은 계약금을 가지고 사라져 버렸다.* 흉물 소리를 듣던 에펠탑은 오늘날까지 철거되지 않고 남아서 매년 약 7백만 명의 관광객이 찾아오는 명소가 되었다.

파리에는 미술관이 참으로 많다. 루브르는 순수 미술관이라기보다는 유물들이 함께 있는 박물관이라고 해야 할 듯하고, 순수 미술관으로서는 아마도 오르세 미술관이 가장 볼 만한 곳일 것이다. 그래서인지 우리가 오르세 미술관 앞에 개장 시간 20분 전에 도착했음에도 입구에 제법 긴 줄이 있었다.

* 로버트 그린, 『권력의 법칙』, 웅진지식하우스

오르세, 로댕, 오랑주리, 퐁피두 미술관

센강의 남측 기슭에서 튀일리 정원을 마주 보고 있는 오르세 미술관은 본시 1900년 파리 만국박람회 개최를 맞이해 오를레앙 철도가 건설한 철도역이었다. 1939년에 철도역 영업을 중단한 이후, 건물의 용도를 두고 다양한 논의가 오가다가 결국에는 개축을 거쳐서 1986년에 미술관으로 다시 태어났다. 이곳에는 4천 점이 넘는 작품들이 전시되고 있는데, 주로 19세기의 회화 작품들로 사실주의와 인상주의 작품들이 많았다.

우리가 이곳에서 제일 먼저 감상한 작품은 밀레의 <이삭 줍는 사람들>이었다. 밀레(1814-1875)는 프랑스 사실주의 화풍을 대표하는 바르비종파 창립 화가 중 한 사람이다. 그는 농부들의 일상을 그린 작품으로 유명하며, 자연주의 화가라고도 불리고 있다.

> 이 그림에는 어떤 극적인 사건이나 줄거리가 없이 단지 세 명의 농부들이 들판에서 일하고 있는 모습이 묘사되었다. 여기에 그려진 세 명의 튼튼하게 생긴 여자들은 일에 열중하고 있다. 이 그림에서 밀레는 인물의 윤곽선을 단순하게

오르세 미술관 전경

이삭 줍는 사람들

만종

묘사하면서 햇살이 내리비치는 들판과 대비시켰다.*

"이 그림이 명화 반열에 든 이유가 무엇인가요?"
"세 여인의 자연스러운 행위와 안정감을 주는 화면 구성이 라고 하더군."
"나한테는 평화로움이 느껴지네요."
"그렇지. 그것이 느껴지도록 햇살이 쏟아지는 들판을 배경으로 한 듯해."

<이삭 줍는 사람들>의 바로 옆에 밀레의 또 다른 명작인 <만종>이 전시되고 있다. 밀레는 1857년에 완성된 이 그림에 원래 <감자

* E.H. 곰브리치, 『서양미술사』, 예경

인상파 전시실 전경

의 수확을 기도하는 사람들>이라는 제목을 붙였다가 훗날에 <만종>으로 바꾸었다고 한다. 감자 바구니를 들고 있는 농부와 그의 아내가 기도하고 있는 장면이 저녁 노을이 비치고 어둠이 깃드는 들판을 배경으로 평화롭게 펼쳐진다. 이 그림을 보는 사이 나도 모르게 모든 번뇌, 망상이 사라진 무념의 세계로 빠져드는 듯했다.

올림피아

1863년에 '살롱'이라고 불린 관전에서 낙선된 작품들을 모아 '낙선전'이라는 특별 전시회를 열었는데, 바로 여기서 '인상파' 화가들이 등장하였다. 대표적인 인상파 화가 중 하나였던 마네(1832-1883)는 사실주의에서 인상파로의 전환에 중추적인 역할을 하였다. 마네의 대표적인 작품인 <올림피아>가 이곳에서 전시되고 있다.

"인상파가 무슨 뜻인가요?"
"대상의 표면에 광선이 작용하는 효과를 사실적으로 표현한 화풍이라고 할 수 있어."
"이 작품에서 올림피아의 얼굴과 몸에 입체감이 부족하고 평면적이네요. 이 그림이 왜 명화인지 모르겠어요."
"환한 빛에 노출되면 대상의 입체감이 감소하고 평면적으

루앙 대성당

물랭 드 라 갈레트의 무도회

로 보이게 되지. 마네는 그것이 더 사실적으로 느껴진다고 생각한 것이야."

우리는 마네와 더불어서 당대 최고의 인상파 화가 중 한 사람인 모네(1840-1926)의 작품 <루앙 대성당>을 감상하였다.

<루앙 대성당>은 모네의 대표작 중 하나로 루앙 대성당 건물 외부 표면에 작용하는 햇빛의 효과를 표현하고 있다.

"이 그림에서는 대상의 형태가 명확하지 않아요."
"그렇지. 그것이 모네 작품의 특징이야."

또 한 명의 인상파 거장인 르누아르(1841-1919)의 작품 <물랭 드 라 갈레트의 무도회>도 이곳에서 전시되고 있다.

르누아르는 이 그림에서 흥청거리는 축제 현장 속 사람들의 다양한 모습을 묘사하였다. 그는 여기에서 밝은 색채의 즐거운 혼합과 함께 술렁이는 인파에 쏟아지는 빛의 효과를 표현하였다.

이곳에서 우리는 인상파 시대를 거쳐서 출현한 또 다른 화풍인 후기인상파의 대표 화가 반 고흐의 작품 <자화상>을 발견했다.

"후기인상파는 어떤 화풍인가요?"
"빛의 작용을 사실적으로 표현하는 것이 아니라, 자신의 감정을 담은 색채로 표현하는 것이라고 할 수 있어."

반 고흐(1853-1890)는 네덜란드에서 목사의 아들로 태어나 영국과 벨기에의 광산촌에서 전도사로 일하다가 화가가 되려고 프랑스로 왔다. 그러나 안타깝게도 남프랑스에서 정신병원에 들어간 후 14개월 만에 37세의 나이로 자살하였다. 그가 화가로 활동한 기간은 10년이 채 되지 않고, 특히 그에게 명성을 안겨준 작품들은 정신병에 시달리던 생애의 마지막 3년 동안 제작되었다.

오르세 미술관을 나선 우리는 내비게이션이 알려주는 대로 돌이 깔린 좁은 골목길을 걷고 있었다. 날씨가 제법 쌀쌀해서 빠른 걸음을 내디뎠다. 얼마 후에 도착한 로댕 미술관은 넓은 마당이 있는 멋진 석조 건물로 미술관이 아니라 어느 귀족의 저택처럼 보였다. 로댕(1840-1917)은 1908년부터 10년간 이 건물을 아틀리에로 사용했으며 동시에 이곳에서 거주했다고 한다. 로댕은 꽤 많은 재산을 모았던 것 같다.

자화상

로댕 미술관 전경

생각하는 사람

그의 대표작 <생각하는 사람>은 전시실에 있지 않고 마당의 오른편 정원에 있어서 전시실 건물만 보고 걸으면 놓칠 수도 있다.

1880년에 완성된 이 청동 조각상은 생각했던 것보다 규모가 훨씬 커서 우리를 놀라게 했다. 높이 186cm인 이 조각상은 벗은 채로 바위에 엉덩이를 걸치고, 여러 인간의 고뇌를 바라보며 깊은 생각에 잠긴 남자의 형상이다. 전신의 긴장된 근육이 마음의 격렬한 움직임을 표현한다고 하는데, 로댕은 이 조각의 영감을 단테의 『신곡』에서 얻었다고 한다.

대리석 조각상과 회화 작품

전시실 건물 안으로 들어가서 우리가 다시 놀랐던 것은, 그의 작품이 엄청나게 많을 뿐만 아니라 청동 조각상에서부터 대리석 조각상과 회화까지 그 종류가 다양하다는 점 때문이었다.

한마디로 로댕은 다재다능한 예술가였다. 그는 고전 시대와 미켈란젤로의 작품들을 연구하여 현대에 접목한 뛰어난 조각가로 커다란 대중적 인기를 누렸다.

오랑주리 미술관 전시실 전경

오랑주리 미술관은 튀일리 정원에서 센강 변으로 다가오면 마주치는 크지 않은 석조 건물에 위치해 있다. 이곳은 1927년에 모네의 <수련>을 전시하기 위하여 미술관으로 정비되었다고 한다. 이곳에서는 무엇보다도 독특한 내부 전시실이 인상적이었다. 그것은 세련미와 단출함의 결합이었다.

프랑스 인상주의를 대표하는 화가 중 한 사람인 모네는 1840년 프랑스 파리에서 상인의 아들로 태어났다. 그는 소년 시절에 르아브르에서 부댕의 문하생이 되어 정식으로 미술 교육을 받고는, 1859년에 파리로 가서 마네, 르누아르, 드가 등과 함께 인상주의 화풍을 세우는 데 전력하였다.

수련

이곳에서 전시되고 있는 모네의 명화 <수련>은 참으로 거대한 그림으로 전시실 1층 전면을 둘러싸고 있다.

모네 화풍의 특징인 빛의 작용과 흐릿한 형태 표현이 이 작품에 신비감을 주고 있다.

파리 시청사

우리가 찾은 파리의 마지막 명소는 퐁피두 미술관이었다. 내비게이션이 지시하는 대로 센강을 건너 북안에 도착해 걷다 보니 패션 용품을 파는 전문점들이 빈번하게 눈에 띄었다. 우리가 걷던 길 오른편에 관광 안내 책자에서 본 듯한 건물이 눈에 들어왔다. 파리 시청사였다.

14세기 중반에 이곳에 최초로 시청사가 세워졌고, 현재의 건물은 19세기 후반에 신르네상스 양식으로 지어졌다. 이 건물의 상징이기도 한 파사드는 1874~1882년에 만들어진 것으로, 146개의 인물 조각상으로 장식되어 있다. 시청 앞 광장은 중세 시대에 센강을 통해 운반된 화물을 쌓아놓고 처리하는 장소였다고 한다.

퐁피두 센터

마침내 우리 눈앞에 모습을 드러낸 퐁피두 센터는 주로 파이프와 유리를 사용하여 현대 건축의 맛을 살린 건물로 고풍스러운 파리의 건축물들 속에서 독특한 개성을 드러내고 있었다. 언뜻 보면 아직도 완공되지 않은 건물로 보이기도 하고, 어찌 보면 공장 건물 같기도 했다. 하지만 이 건물은 오래전인 1977년에 이미 완공됐으며, 공장이 아닌 문화의 전당이다. 이 건물의 명칭은 프랑스 대통령을 지낸 조르주 퐁피두의 이름에서 딴 것이고, 이곳에는 미술관 외에도 대형 공공도서관, 음향 연구소, 극장, 서점, 카페 등이 입주해 있다.

이곳에 있는 미술관은 공식 명칭이 '국립 근대 미술관'이지만 퐁피두 센터에 있다고 해서 '퐁피두 미술관'이라고 불리기도 한다. 주로 20세기의 회화 작품들이 여기서 전시되고 있다.

에펠탑의 신랑과 신부

우리가 제일 먼저 관람한 그림은 샤갈이 1938년에 완성한 <에펠탑의 신랑과 신부>였다.

샤갈(1887~1985)은 러시아의 유대인 집안에서 태어나 미술학교를 졸업하고는 23살 때 파리로 유학을 떠났다. 당대는 파리 미술계를 지배하고 있던 입체파에 대한 반발로서 '전위파 화가'들이 출현하던 시기였는데, 샤갈은 그들과 친교를 나누면서 점차 파리 미술계에서 인정을 받기 시작했다. 훗날 그의 화풍은 야수파로 발전했으며, 사람과 동물을 섞은 환상적이고 신비한 그림과 선명한 색채로 명성을 얻었다.

검은 고양이와 함께 있는 마가리트

이어서 우리가 관람한 작품은 마티스의 1910년 작품인 <검은 고양이와 함께 있는 마가리트>였다.

마티스(1869~1954)는 대표적인 프랑스 야수파 화가이며 흔히 피카소와 함께 20세기 최고의 화가로 꼽힌다. 파리 국립미술학교에서 인상파, 후기인상파 회화를 공부하고는 훗날 야수파 운동에 뛰어들었다.

검은 아치와 함께

이곳에는 칸딘스키의 1912년 작품 <검은 아치와 함께>도 전시되고 있다.

칸딘스키(1866~1944)는 러시아에서 태어난 화가이자 예술평론가이다. 그는 최초로 현대 추상화를 그린 화가로 평가된다. 그는 30살이 되던 해 독일 뮌헨에 정착하여 미술 아카데미에서 수학하고는 바우하우스에서 학생들을 가르쳤다. 나치 정권이 출현한 후에는 프랑스로 이주하여 죽을 때까지 파리에서 살았다. 그는 회화에서 점, 선, 면 등의 조형 요소들 사이의 관계를 중시했다. 작품 <검은 아치와 함께>도 그런 시각에서 보아야 할 것 같았다.

우리는 퐁피두 센터를 나서며 침묵에 빠졌다. 파리에 온 김에 예술에 빠져보자고 결의를 했지만, 예술 교육을 제대로 받지 못한 우리가 서양미술사를 조금 공부한 정도로는 파리의 미술을 제대로 음미할 수 없었다. 우리의 어설픔을 독자들이 이해해줄 것이라고 믿고 파리에서의 예술 탐방에 마침표를 찍었다.

파리에서의 마지막 날 저녁에 우리는 그 사이 단골(?)이 되어버린 숙소 근처의 바(bar)를 찾았다. 아름다운 여주인과 그녀의 애완견이 우리를 반겼다. 그 애완견이 우리의 자리로 와서 아양을 떠는 바람에 여주인이 와서 끌고 가기도 하였다. 우리는 그녀에게 "개가 우리를 좋아하는 것 같다"라고 농담을 하였다. 홀이 널찍하고 대로변에 큰 창이 있는 이곳에서는 재즈 음악이 자주 흘러나왔다. 창가에 앉아서 포도주를 들면서 지나가는 사람들을 바라보고 있자니 어느새 우리도 파리의 낭만에 젖어 들었다. 파리는 참으로 매력적인 도시이다.

르네상스와 바로크의 시대였던 16~17세기에는 로마가 유럽의 문화 예술 중심지였다. 그러나 18~19세기에는 마침내 파리가 로마를 제치고 문화와 예술의 수도로 등극했다. 오늘날에도 찬란한 역사를 담고 있는 수많은 건축물과 예술의 보고인 미술관들이 널려 있고, 거리의 카페에서 낭만을 파는 이 도시는 과연 서구 근대 문명의 최고 상속자라고 할 만하다.

파리를 떠나서 런던으로 향하던 날, 드골 공항에서 지친 몸을 비행기에 실었을 때 무척이나 흐린 날씨 탓에 우리의 마음까지도 시들해졌다. 어쩌면 마음 한편에서는 이대로 한국으로 돌아갔으면 했는지도 모른다. '서구 근대 문명 기행'이라는 거창한 슬로건을 내세우며 의기양양하게 출발했던 때를 돌이켜 보자면 사람의 마음이란 참으로 쉽게 변하는 것이었다.

런던의 구시가지에서 서쪽으로 제법 멀리 떨어져 있는 히드로 공항에서 내린 우리를 반겨주었던 것은 런던의 잿빛 하늘이었다. 우리가 열차와 지하철을 갈아타면서 숙소에 도착했을 때는 겨울철의 짧은 대낮은 이미 끝났고 날이 어두워지고 있었다. 그러나 이때 어두운 터널의 끝에서 빛이 보이듯 반전이 발생했다. 비교적 저렴했던 우리들의 숙소가 템스강과 타워 브리지를 바로 앞에 둔 번듯한 건물의 널찍한 방이었음을 확인한 것이다. '횡재'를 한 듯한 기분에 파김치 같았던 우리의 몸과 마음이 순식간에 되살아났다. 마치 하인의 방에서 주인의 방으로 초대받은 느낌이 들었다고나 할까? 우리는 짐을 대충 정리하고는 밖으로 뛰쳐나가 템스강의 야경을 배경으로 기념사진을 찍고, 저녁 식사와 함께 가벼운 술자리를 가지며 런던 여행의 의욕을 충전하는 첫날밤을 보냈다.

런던

> 하나의 문학 장르처럼 되어버린 영국 여행은 말하자면 새로운 발견을 위한 여행으로서 언제나 오만하기 짝이 없는 런던의 독특함에 부딪쳐보는 일이었다.*

우리들의 런던 여행은 파리에서처럼 역사를 따라가는 여정이었다. 단지 근대사로의 전환점을 대영제국 시대로 잡았다는 차이가 있을 뿐이었다. 서유럽의 변방이었던 이 섬나라의 수도가 서구 근대 문명의 중심지가 된 것은 대영제국 시대의 일이었기 때문이다. 중세의 낙후함에서 탈피하면서 서서히 선진 사회로 다가가는 과정 역시 흥미로운 이야기이기에 우리의 기행은 거기에서부터 시작되었다.

* 페르낭 브로델, 『물질문명과 자본주의 III-1』, 까치

Ⅰ. 대영제국 이전 시대의 런던

브리튼섬의 남동 지역 템스강 변에 있는 런던은 1세기 중반에 로마인들에 의해 건설되었고, 2세기 초에는 로마 제국의 속주였던 브리타니아의 수도가 되었다. 410년에 로마 군단이 브리튼섬에서 철수한 후에 런던은 독일에서 건너온 게르만계 앵글로-색슨족(독일어 Angel-Sachsen에서 유래된 말)에게 정복되어 폐허가 되었다. 하지만 6세기부터 런던은 브리튼섬의 상업 중심지로 번창하면서 대서양 연안의 북서 유럽 지역과 빈번히 상거래를 했다. 런던의 발달은 템스강에 의존했기에, 템스강의 만곡을 따라 런던의 구시가지도 반달 모양으로 이루어졌다.

템스강과 런던

① 런던탑

템스강과 런던탑

런던탑 입구 전경

구시가지의 동쪽 지구 템스강 변에 있는 런던탑은 사각형과 유사한 평면에 이중의 성벽을 두른 중세 요새 형의 건물 군집이다. 정문에서 오른쪽 옆면 성벽을 따라 길게 놓여있는 강변 산책로가 아름답다. 성벽과 산책로가 만들어내는 고풍스러운 풍경은 할리우드 중세 영화의 배경이 될 만하다. 우리는 숙소에 오고 갈 때마다 이 산책로를 따라서 이동하는 행운을 누릴 수가 있었다. 우리가 타고 다녔던 지하철의 정류장이 런던탑 바로 근처에 있었기 때문이다. 여기에서 런던 여행을 계획 중인 사람들에게 지하철 이용을 적극적으로 추천하고 싶다. 런던은 지역 내 명소 이름을 지하철역 이름으로 사용하는 경우가 많아, 런던에 처음 방문한 사람이라도 가고 싶은 장소를 쉽게 찾을 수 있기 때문이다.

런던탑에서는 무엇보다도 중세 영국의 자취가 느껴진다. 북유럽 바이킹족의 후예로서 프랑스에 정착했던 노르만족이 1066년에 영국을 정복했고, 노르망디 공 윌리엄(1028-1087)이 영국의 국왕 윌리엄 1세가 되면서 영국의 노르만 왕조가 시작되었다. 이 시대에 윌리엄 1세가 적개심이 가득한 런던 사람들의 공격에 대비해서 건설한 요새가 바로 런던탑이다.

건물 군집인 런던탑은 주로 요새, 왕궁, 병기창 및 감옥으로 사용되었다. 노르만 왕조부터 스튜어트 왕조의 제임스 1세까지 영국 국왕의 거처가 이곳에 있었다. 한마디로 요새형의 중세 궁전이라고 할 수 있다. 막상 성벽 안으로 들어가면 전체적으로 화려함이나 웅장함이 없는 낡고 수수한 모습이 눈에 들어온다. 그래서 중세의 냄새를 진하게 풍기는 것인지도 모른다.

런던탑의 정문을 통과해 성벽 안으로 들어온 우리가 가장 먼저 찾은 곳은 화이트 타워였다. 이곳에 있는 건축물은 조금만 높아도 타워라는 이름으로 불려서 'tower'의 어원에 관해 의문이 들었다.

런던탑의 중앙에 있는 화이트 타워는 1078년 건축을 시작하여 1100년경에 완공된 가로 32m, 세로 36m, 높이 27m의 노르만 양식 석조 건물이다. 3층 구조로 입구는 지면에서 높이 떨어져 있어 나무 계단을 통해 출입할 수 있다. 적군이 침공하면 나무 계단을 제거하고 방어할 목적으로 이런 형태를 고안한 듯하였다.

'화이트 타워'란 이름이 붙여진 것은 헨리 3세가 이 건물을 흰색으로 칠했기 때문이라고 한다. 런던탑에서 가장 견고한 건물인 화

화이트 타워 전경

이트타워는 17세기 초까지는 왕궁으로, 그리고 오늘날에는 왕립 무기 박물관으로 사용되고 있다.

이곳에는 기사 갑옷, 대포, 창, 칼 등이 전시되고 있는데, 특히 헨리 8세의 갑옷이 눈에 띄었다. 화려한 장식이 없는 수수하고 낡은 실내 공간이 중세시대 국왕의 거처였다는 사실이 믿기지 않았다.

왕립 무기 박물관

"중세 영국의 국왕 거처가 이렇게 초라한 이유가 무엇이었나요?"
"물론 중세의 영국이 빈곤하고 문명적으로 낙후되기도 했지만, 기본적으로는 국왕의 권력이 허약했기 때문이지."
"중세 유럽 전역에서 요새형 왕궁이 많았던 것도 그런 이유에서였나요?"
"그렇지. 중세 유럽에서 국왕의 실제 권력은 직할지의 영주 수준에 불과해서, 국왕이 다른 지역의 영주들에게 공격당할 가능성이 컸으니까."

근대에 들어서면서 화이트 타워는 점차 왕궁의 기능을 잃어버렸다. 튜더 왕조의 헨리 8세부터 스튜어트 왕조의 제임스 1세까지 영국의 국왕들은 어쩌다 한 번씩 화이트 타워에서 머물렀을 뿐이다. 그 후로 이곳은 국왕의 거처가 아니고 왕립 무기고와 군수품 위원회의 사무소로 사용되었다.

국왕의 예배실

화이트 타워 안에는 중세적인 분위기를 물씬 풍기는 자그마한 국왕의 예배실(성 요한 예배실)이 있다. 이곳을 보고 있자니 중세를 소재로 한 영화에서 국왕이 출전을 앞두고 신의 가호를 빌면서 기도하던 모습이 떠올랐다.

화이트 타워 밖으로 나오면 맞은편에 중세풍의 수수한 건물이 보이는데, 이곳은 과거에 왕족, 귀족, 정치범 등이 수감되었던 감옥이다. 16~17세기에 이곳은 음산하고 불길한 감옥으로 악명을 떨쳤으며, 이곳에 수감된 죄수의 수는 절정에 달했다고 한다. 당시 영국에서는 이로 인해 감옥에 갔다는 의미로 '탑으로 갔다(Sent to

감옥

the Tower)'라는 말이 유행했다고 한다. 우리가 이 건물의 안으로 들어가 보니 음산한 분위기로 인해 으스스했다. 그 시대의 그 어둠과 추위 속에서 이곳에 수감 된 죄수는 병이 나서 죽거나 자살했을 듯하다.

자그마한 왕실 예배당(성 베드로 예배당) 건물 앞의 잔디로 덮인 마당에 처형대가 있었다. 영화 <천일의 앤>으로 유명해진 앤 불린, 여왕 엘리자베스 1세의 생모였으며 바람둥이 헨리 8세의 두 번째 왕비였던 그녀가 1536년에 바로 이곳에서 참수당했다. 지금은 이곳에 그 옛날의 처형대를 대체하여 추모비가 놓여있다.

처형대

간통 혐의로 참수형이 확정되자 앤은 자신의 시녀에게 "내 목이 가늘어서 다행이다"라고 씁쓸한 농담을 건넸다고 한다. 목이 굵어서 한 번에 베어지지 않으면 고통이 가중된다는 점을 해학적으로 표현한 슬픈 이야기이다. 아마도 남편의 배신과 비열함에 치를 떨었을 그녀의 마지막 자조였을 것이다.

"헨리 8세가 앤을 사형한 진짜 이유가 무엇이었어요?"
"불만, 불화였다고 알려졌어."
"그러면 불만, 불화의 원인이 뭐였어요?
"가장 중요한 점은 앤이 아들을 못 낳았기 때문이라 하더군."

앤 불린(Wikipedia)

"아니, 아들을 못 낳은 것은 남자의 문제잖아요?"
"그 시대에는 여자의 문제라고 생각한 듯해. 생리학적인 지식이 없었으니까."

아들을 못 낳은 여인이 목을 내놔야 한다면 목숨을 건지지 못할 여인이 지천으로 널릴 것이다. 헨리 8세는 앤 불린을 처형하고 불과 며칠 후에 새 연인인 제인 시머와 결혼했다. 바람둥이의 여성 편력은 이토록 잔혹했다.

1535년에는 이곳에서 토머스 모어가 참수되었다. 잉글랜드 대법관이었던 그가 헨리 8세의 종교개혁에 반대했기 때문이다. 1516년에 출간된 그의 불후의 명작 『유토피아』에는 상상의 섬에 건설된 이상 사회가 묘사되었는데, 그는 고대에 플라톤이 언급했던 지상낙

에드워드 망루

원 아틀란티스섬에서 영감을 얻었다고 한다. 이 책에 나오는 유토피아의 주민은 모든 재산을 공유하고, 하루에 6시간만 일하고 나머지 시간에는 여가를 즐기며 지혜와 정의 그리고 관용의 미덕을 실천한다. 하지만 실제로 인간의 마음속은 이기심, 탐욕, 질투심으로 가득하기에, 인간 세상은 동서고금을 막론하고 불의가 판치고, 갈등과 싸움으로 뒤덮인 난장판이다. 그래서 이상 사회는 영원히 도달할 수 없는 곳이기도 하다. 그로 인해 『유토피아』가 불후의 명작이 되었을 터이다.

런던탑을 둘러싼 이중 성벽에는 여러 개의 망루가 있다. 그중에서 가장 흥미로운 것은 에드워드 망루인데, 이곳에는 국왕 에드워드 1세의 침대가 놓여있다. 국왕이 자신의 침실을 놔두고 일개 경비대장처럼 망루에서 잤다는 사실이 놀라웠다. 에드워드 1세(재위 1272-1307)는 '다리 긴 왕'으로 불릴 만큼 장신이었는데, 웨일스와 스코틀랜드를 정복했고 십자군 전쟁에도 참전한 용사였기 때문에 망루에서 잤는지도 모른다는 생각이 살짝 들었다. 할리우드 영화 <브레이브 하트>에 나오는 악랄한 영국 왕이 바로 에드워드 1세다.

우리는 런던에서 중세의 자취를 느낄 수 있는 다른 장소를 찾아갔다. 그곳은 바로 웨스트민스터 사원(Westminster Abbey)으로 문명사적인 의미가 큰 건물이다. 런던 구시가지의 서쪽 지구인 웨스트민스터에 있는 이 성당에서는 전통적으로 국왕의 즉위식이 거행되었으며, 국왕과 명사들의 무덤이 있다.

2 웨스트민스터 사원

영국에 정착한 앵글로-색슨족은 7세기에 가톨릭으로 개종하였으며 이와 함께 베네딕트 수도사들에 의한 수도원 건립 운동이 시작되었다. 그리고 먼 훗날인 1245년에 국왕 헨리 3세의 명령으로 고딕 양식의 웨스트민스터 사원 건축이 시작되어서 1506년에야 완공되었다. 이 건물의 정면에서 대칭을 이루고 있는 두 개의 탑은 1722~1745년에 세워졌는데, 파리에 있는 노트르담 대성당 서편 파사드의 형태와 유사했다. 그래서인가, 공사 탓에 노트르담 대성당의 내부를 관람하지 못했던 아쉬움을 이곳에서 풀어낼 수 있을지도 모른다는 기대감이 생겼다.

고딕 양식으로 지어진 이 건물은 길쭉한 직사각형 형태의 본당 건물과 짧은 횡단 건물의 교차로 십자가형 평면을 이룬다. 오늘날에는 횡단건물의 출입구가 관람객들을 위한 정문으로 사용되고 있다.

헨리 8세 시절에 발생했던 종교개혁으로 인하여 이곳에 있었던 베네딕트 수도원은 1540년에 없어졌고, 이후로 이 건물은 영국 국교회(성공회)의 성당으로 바뀌었다. 스페인 공주 출신으로 과부가

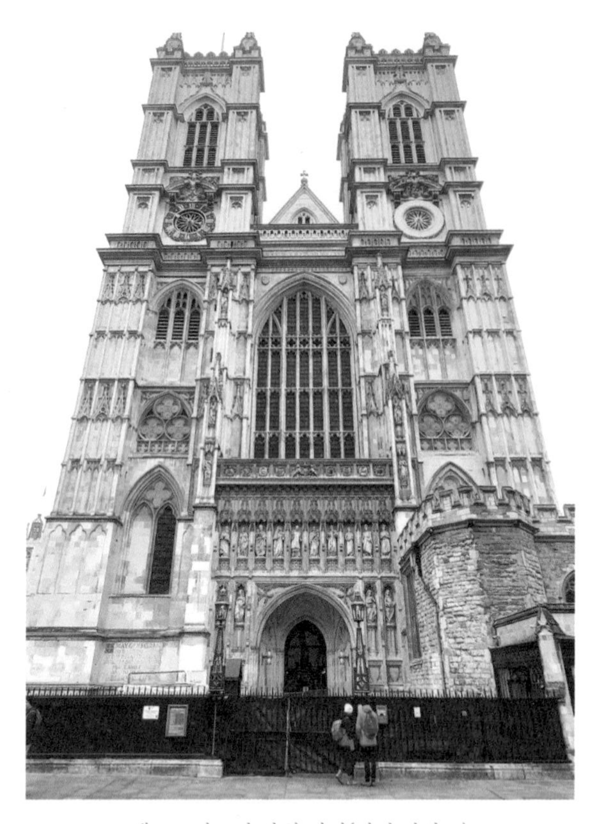

웨스트민스터 사원 전경(정면 파사드)

된 형수 캐서린과 정략 결혼한 헨리 8세는 새로운 연인이 된 앤 불린과 결혼하기 위하여 캐서린과 이혼하였다. 헨리 8세는 이 사건과 관련해서 그를 파문한 로마교황청과 결별하고 영국 국교회(성공회)를 설립했다. 영국 국교회의 수장이 된 헨리 8세는 약 1천2백 개나 되는 수도원을 해산하면서 이와 함께 영국에 있는 가톨릭교회와 수도원의 재산을 전부 몰수하였다. 당시 교회와 수도원은 영국 전체

횡단 건물의 정문

토지의 약 1/3을 차지하였는데, 이것이 헐값에 매각되면서 영국 왕실이 가장 많은 양을 차지하였고, 나머지는 부유한 귀족과 상인들의 손에 넘어갔다.* 종교개혁과 함께 헨리 8세는 젊고 예쁜 마누라를 새로 얻었고 거기다가 재산까지 크게 늘렸으니 일거양득의 대박 장사를 한 것이 되었다.

* 이영림 등, 『근대유럽의 형성』, 까치

본당 내부 전경

건물 안으로 들어가면 본당에는 제단과 대관식장이 보이고, 횡단공간에는 주로 예배실과 국왕 및 명사들의 무덤이 있다.

내부의 본당에서는 제단 앞면에 있는 영국 국왕의 대관식장이 그 화려함으로 인해 가장 눈에 띈다. 윌리엄 1세부터 전통적으로 영국 국왕의 대관식이 이 성당에서 거행되었다. 14세기 초반에서 17세기 후반까지, 영국의 신임 국왕은 런던탑에서 웨스트민스터 사원까지의 행진을 마치고 이곳에서 대관식을 치르는 것이 관례였다.

대관식장

본당의 입구에서 가까운 곳에는 근대 물리학의 아버지로 불리는 뉴턴이 안장되어 있다. 그의 무덤이 위치한 장소가 이 건물의 내부에서 가장 눈에 잘 띄는 곳 중의 하나라는 사실만으로도 그의 과학사적 지위를 짐작할 수 있었다.

뉴턴(1643-1727)은 소지주의 아들로 태어나서 일찍이 천재성을 보였지만 은둔적이고 강박관념에 사로 잡혀있던 사람이었다. 그는 사람들과 어울리는 것을 극도로 싫어했고, 시골이나 실험실에 혼자 틀어박혀서 지내는 것을 좋아했다. 외모나 복장 그리고 여자에게도 관심이 없어서 84년의 긴 생애 동안 결혼을 한 번도 하지

뉴턴의 무덤

않았다. 심지어는 전 생애 동안 단 한 명의 여자와도 애정 관계를 갖지 않았다고 전해지는데, 남녀 관계의 속사정을 그 누가 알겠는가. 그는 생애 후반에는 실험실 밖으로 나와서 국회의원과 왕립 조폐국의 국장 등을 지내면서 사회 활동을 했다. 한 이탈리아의 수학자가 만유인력의 법칙을 발견한 뉴턴을 '가장 위대하고 운 좋은 과학자'라는 평을 했는데, 그 이유는 '우주는 단 하나밖에 없는데 그가 바로 그 우주의 법칙을 발견했기 때문'이라는 것이다. 그는 '만유인력의 법칙'과 '운동의 법칙'으로 유명하지만, 수학과 광학에서도 뛰어난 업적을 남겼다.

웨스트민스터 사원에서 거행된 뉴턴의 장례식에서 시인 포프는 그의 업적을 이렇게 표현했다.

"자연과 자연의 법칙은 어둠에 가려져 있었으나, 하나님께서 말씀하시기를 '뉴턴이여 있으라!' 하시매 모든 것이 밝아졌도다."*

"근대의 과학적 발견이 기독교를 부정하지는 못한 것 같아요."

"근대의 과학자들은 자신들의 발견이 신의 섭리로 창조된 우주의 원리를 설명했을 뿐이라고 생각했어. 뉴턴도 기독교의 천지창조 신화에 빠져있었을 뿐만 아니라 성서에 나오는 수치들을 이용하여 말세가 언제 올지 계산하는 연구에 몰두하기도 했다더군."

* 주디스 코핀, 『새로운 서양 문명의 역사 하권』, 소나무

성서에 나오는 이야기가 과학적 발견과 맞지 않는다는 것이 연속적으로 입증되자, 어떤 영악한 추기경은 이렇게 돌려막기를 했다고 한다.

> "성서는 하늘나라에 가는 방법을 알려준 것이지 하늘나라의 작동원리를 가르쳐주는 것은 아니다."*

근대 유럽에서 계몽주의의 영향이 커지고 이성이 강조되면서, 기독교의 영향력은 점차로 감소하였다. 특히 19세기에 들어서자 서유럽 전반에서 종교적 논쟁보다 세속적 경쟁이 치열한 세상이 출현하였다. 그러나 '신앙은 소망'이고 인간은 소망 없이 살 수 없기에 서구 사회에서 종교가 사라지지는 않았다. 단지 세속적인 문화가 지배적인 세상이 도래한 것이다.

횡단 공간의 왼쪽에 있는 성 에드워드 예배당은 문화사적 가치가 높은 공간이다.

흔히 에드워드 참회왕(1003~ 1066)이라고 불리는 이 사람은 영국 웨섹스 왕조의 왕으로 매우 두터운 신앙심을 가지고 있는 인물이었다고 전해진다. 그는 왕위에는 올랐으나 정치에는 전혀 관심이 없어서, 당시 강력한 권력을 차지한 귀족들이 국정을 농단하기에 이르렀다. 하지만 그는 경건한 신앙심을 기반으로 하여 전 국민적인 지지를 얻은 덕분에 왕위는 지킬 수 있었다. 1161년에 그는 교

* 주디스 코핀, 『새로운 서양 문명의 역사 하권』, 소나무

성 에드워드 예배당

엘리자베스 1세의 무덤

황 알렉산더 3세로부터 시성(諡聖)되었다.

이 건물에는 많은 영국 국왕의 무덤들이 있는데, 그중에서 우리가 가장 큰 관심을 가진 것은 엘리자베스 1세의 무덤이다. 그녀는 이복 언니인 메리 1세와 합장되어 있다.

엘리자베스 1세(재위 1558-1603)는 헨리 8세와 앤 불린 사이에서 태어나 어머니가 처형당하고 부모의 결혼이 무효가 되어 사생아로 추락했지만, 행운의 여신이 손짓하여 결국에는 보위에 올랐다. 엘리자베스 1세는 매우 신중하고 현실적인 정치를 하여 그녀의 치세하에 영국의 인구, 무역 및 국가 전체의 부는 현저히 늘어났다. 게다가 그 시대에 영국 해군은 당대 유럽 최고의 강대국이었던 스페인의 무적함대를 격파하였고 이후로 스페인의 무적함대는 '싸우지 않을 때만 무적'이라는 조롱을 받게 되었다. 영국이 해양 강국으로 떠오르고 경제적인 낙후성을 벗어나기 시작한 시기가 바로 그녀의 치세하였다.

엘리자베스 1세(Wikipedia)

흔히 '철의 여인'으로 불리는 엘리자베스 1세는 나이를 먹어가면서 완고해지고 잔소리도 심해졌다. 그녀는 신하들이 자신의 약점을 지적하는 것을 절대로 용납하지 않았다. 그런데 이 시절에 이상한 일이 발생했다. 어느 날 에식스의 백작 데버루가 왕궁에 오게 되었는데, 여왕보다 나이가 어린 그가 여왕의 괴팍한 성격을 종종 비판하고는 했다. 그런데 여왕은 노하기는커녕 그의 말을 듣고 미소를 짓기까지 하였다. 사연인즉, 그가 여왕에게 이미 오래전에 사라져버린 젊은 시절의 활력과 여성적인 욕망을 다시 일깨운 것이었다. 여왕은 그와 함께 있으면 소녀 시절로 돌아간 듯한 느낌을 받았다. 이렇게 해서 에식스 백작은 여왕이 가장 총애하는 신하가 되었고, 마침내 여왕은 그와 사랑에 빠져버렸다. 철의 여인도 결국은 여자였다.* 그러나 엘리자베스 1세는 평생

* 로버트 그린, 『유혹의 기술』, 웅진지식하우스

결혼을 하지 않은 채 '처녀왕'으로 사망하였다. 언젠가 그녀는 이런 말을 했다고 한다.

"나는 결혼한 여왕이 되기보다 독신인 거지가 되겠다."*

지혜로운 여성이었던 엘리자베스 1세가 '독신 팔자 상팔자'임을 500년 전에 이미 파악했던 것일까.

웨스트민스터 사원에는 흔히 '음악의 어머니'로 불리는 독일 출신 바로크 음악가 헨델의 무덤도 있다.

헨델의 무덤

헨델(1685-1759)은 초년기에 이탈리아에서 바로크 음악을 공부하고는 훗날 영국에 정착했다. 그는 이탈리아 오페라가 영국인에게 인기가 없는 것을 보고는, 오페라의 변형으로서 대사가 없는 음악극인 '오라토리오'를 최초로 작곡하였다. 헨델의 오라토리오는 대개 성서의 이야기를 배경으로 하고 있지만, 드럼과 트럼펫이 자주 등장하는 화려한 기악으로 편성된 매우 세속적인 음악이었다. 마침내 헨델의 오라토리오는 영국의 청중들을 열광시켰는데, 가장 대표적인 작품인 <메시아>는 아직도 영

* 로버트 그린, 『권력의 법칙』, 웅진지식하우스

셰익스피어 기념비

어권 국가에서 크리스마스 때마다 연주되고 있으며, 여기서 나오는 '할렐루야'는 가장 인기 있는 합창곡 중 하나이다.

셰익스피어 기념비가 헨델의 무덤 바로 옆에 화려한 모습으로 세워져 있지만, 그의 무덤은 이곳이 아니라 그의 고향 교회당에 있다. 하지만 그의 기념비가 이곳에 세워졌다는 데에서 셰익스피어에 대한 영국인의 사랑과 존경심이 느껴졌다.

무명용사의 비문

본당의 입구 근처 바닥에는 1차 대전 때 프랑스에서 사망한 무명용사의 비문이 있다.

우리는 뉴 밀레니엄 다리를 걸어서 템스강 남측 건너편인 사우스워크 지구로 진입하고 있었다. 템스강에 놓인 다리 중에서 가장 현대적인 이 다리는 강북의 City of London과 강남의 사우스워크 지구를 이어주고 있다. 지금은 별로 특징이 없는 사우스워크 지구의 강변에는 17~18세기에 런던항구가 있었는데, 당시 이곳의 풍경은 부두와 선창 그리고 돛대의 숲이었다고 한다.*

* 페르낭 브로델, 『물질문명과 자본주의 I-2』, 까치

이 지구는 16세기까지도 런던의 변두리였다. 당시에 이 인근은 관청의 통제를 받지 않았던 지역이어서 주로 극장, 동물 싸움 도박장, 숙박업소 등이 있었다고 한다.

우리가 역사적으로 큰 의미가 없는 이 지구를 찾은 이유는 엘리자베스 1세 시대의 명소였던 글로브 극장을 보기 위해서였다. 이 극장은 셰익스피어가 활동했던 시절에 영국 최고의 극장이었다. 당시에 주로 템스강 북측 지구에 살았던 런던 사람들은 연극을 보기 위해 템스강의 유일한 다리인 런던교를 건너거나 배를 타고 강을 건너 이 극장으로 모여들었다.

현재는 런던교 상류 방향으로 사우스워크 다리와 뉴 밀레니엄 다리가 나란히 놓여있어서 이 극장을 보러 오는 사람들이 구태여 멀리 있는 런던교를 건널 필요가 없어졌다. 우리는 뉴 밀레니엄 다리를 건너서 강변의 왼쪽에 있는 극장 건물로 향하였다. 실제로 보니 이 건물은 생각보다 크기가 작지만 깨끗했다.

③ 글로브 극장, 글로브 레스토랑, 버러 마켓

글로브 극장 전경

글로브 극장(The Globe Theatre)은 엘리자베스 1세 재위 시절에 셰익스피어의 작품들을 주로 공연하여 큰 명성을 얻은 곳이다. 이 극장의 이름인 'Globe'는 지구라는 말인데 '온 세상이 하나의 무대다'라는 뜻이었다고 한다.* 이 극장 건물은 1598년에 셰익스피어가 속해 있던 '왕의 남자들' 극단이 지은 것으로 알려져 있다. 셰익스피어(1564-1616)는 이 극단의 전속 극작가이자 연출가와 배우로서 자신의 모든 작품을 이 극장의 무대에 올려 그 시대 최고의 인기를 얻었다.

"셰익스피어가 이 극장에서 돈을 많이 벌었다고 하던데요."

"당시 이 극장을 운영하였던 극단에서 셰익스피어의 연봉은 교사의 약 10배 정도였다고 하더군. 그 시절 영국에서 연극 붐이 일어났고, 셰익스피어가 속한 극단은 영국에서 가장 인기가 있던 극단이었기 때문이지. 그는 번 돈으로 고향에 많은 땅과 저택을 사서 호강스럽게 여생을 지냈어."

"셰익스피어의 성공 비결은 무엇이었나요?"

"항상 대중과 교류하며 교육 수준이나 취향에 상관없이 모든 사람이 이해할 수 있는 작품을 썼다는 점이지. 게다가 그는 뛰어난 언어 구사 능력을 발휘했어. 그가 사용한 단어는 약 1만 5천 개나 되었는데, 그중에는 그가 새로 만들어낸 단어도 많이 있었지."

"엘리자베스 1세와 셰익스피어는 각별한 사이였다고 하던데요."

"연인 관계는 아니었고, 엘리자베스 1세가 셰익스피어의 작품을 끔찍이 좋아했다더군. 그녀는 1603년에 궁전에서 셰익스피어의 연극 공연을 생애 마지막으로 감상하고는 몇

* 막스 크루제, 『시간여행 2』, 이끌리오

주 후에 눈을 감았어. 그녀의 죽음에 셰익스피어는 몹시 슬퍼했다고 전해지고 있어."

글로브 극장 내부

극장과 붙어 있는 현대식 건물에 들어가서 안내를 받아보니, 입장료를 낸 사람들에게 약 30분간 극장의 내부를 보여주면서 셰익스피어 연극을 설명하는 이벤트가 열리고 있다고 했다. 우리는 뮤지엄 패스를 보유했기 때문에 여기에 참가할 수 있었다. 덕분에 극장의 객석에 앉아서 그 옛날의 광경을 상상해보았다.

나는 사실 셰익스피어의 희곡을 별로 좋아하지 않았다. 그의 작품들이 다루는 주제나 내용이 나에게는 별로 탐탁하지 않았기 때문이었다. 청소년 시절에 번역된 그의 작품을 읽다가 잠들었던 적이 한두 번이 아니었고, 성인이 된 후로는 아예 읽어 본 적이 없다. 하지만 이 극장의 객석에 앉아 무대를 보고 있자니 그의 연극을 보고 싶은 충동을 느꼈다. 하지만 갑자기 날아온 후배의 말이 이 분위기를 깨트리고 말았다.

"저는 문호 셰익스피어의 위대함을 수없이 들어 왔지만, 솔직히 제가 읽은 셰익스피어의 작품들은 명성에 비해 제 마음속에 큰 감명은 없었어요. 제가 문학에 대한 이해도가 떨어지는 건가요?"

"사실 문학에 대한 평가는 그 시대상을 이해하고 느낄 수 있어야 공감할 수 있지 않을까? 사실 그의 작품은 내용에 있어서 현대인에게는 별로 감동을 주지 못하고 있어."

하지만 우리는 셰익스피어 작품을 설명하는 안내인의 열정에는 감명을 받았다. 작품을 설명하면서 표정과 몸짓까지 열정적으로 연기하는 그를 보면서 어떤 분야의 전문가가 되려면 저 정도로 심취해야 하지 않을까라는 생각이 들었다.

당시 이 극장은 지름 30m인 둥근 형태의 3층 건물이었고 좌석, 입석, 바닥을 합쳐서 약 3천 명의 관객을 수용할 수 있었다. 천연 광을 조명으로 사용했기에 위가 뚫린 형태였지만, 비가 내리는 날에도 공연은 이루어졌다고 한다. 무대 위에서는 온갖 도구를 이용하여 연극의 배경을 형상화하거나 효과음을 내기도 했다. 당시에는 아직 여자가 출연하지 않았고 대신에 변성기를 지나지 않은 남자아이들이 여장을 하고 무대에 올랐다. 객석에서는 장사꾼이 바구니에 음식물을 들고 다니면서 팔기도 하였다고 한다.

"셰익스피어의 희곡 로미오와 줄리엣이 당시에 영국에서 폭발적인 인기를 끈 이유가 무엇인가요?"

"당시 영국 사회에서 결혼은 오로지 양가 부모의 뜻으로 결정되었는데, 로미오와 줄리엣은 자신들의 의지로 사랑을 이루고 결혼을 하려고 했기 때문에 영국인들에게 신선한 충격을 준 것이지. 사실 순수한 사랑은 누구나 상상해 보는 것이기도 하잖아."

"어서 오라, 밤아! 어서 오라, 로미오,
한밤중을 환히 밝혀줄 그대!
어서 오라, 그대! 부드럽고, 사랑스러운 밤이여!
사랑하는 로미오를 어서 내게 보내다오!"*

"셰익스피어가 양성애자라는 이야기를 들은 적이 있어요."

"그렇다고 하더군. 그는 결혼해서 자식을 둔 남성이면서 또한 잘생기고 교양이 풍부한 젊은 귀족 남자와 사랑에 빠졌다고 알려졌어. 천재적인 예술가들에게 종종 있는 일이기도 하지."

엘리자베스 1세 시대에 번성하였던 민중 연극은 이후 스튜어트 왕조의 찰스 1세(재위 1625-1649) 시대에는 절대주의의 영향으로 인하여 점차 쇠퇴했고 대신에 궁정 및 귀족 연극이 성황을 이루었다. 17세기의 주류 예술 사조였던 바로크의 특징인 웅장함과 화

* 막스 크루제, 『시간여행 2』, 이끌리오

려함은 연극에서는 왕후장상의 이야기와 어울렸다.* 이로 인해 왕당파와 의회파 사이의 내전기에 의회파에 의해서 많은 극장이 폐쇄되고 말았다. 글로브 극장도 1644년에 철거되었고, 그 자리에 다른 건물들이 들어서면서 잊혔다. 그러다가 먼 훗날인 1989년에 이 지역에서 건축 공사를 하던 중에 극장 건물의 기초가 발견되어, 원래의 극장 건물에 대한 대략의 규모와 형태가 드러났다. 지금의 극장은 그 시대의 모습으로 재현되어 1999년에 개관되었다.

글로브 극장을 구경하고 나오면서 에너지 보충을 하기 위해 바로 옆에 있는 '스완 셰익스피어 글로브 레스토랑'으로 향했다. 큼직하고 분위기 있는 공간이라서 '셰익스피어'라는 말을 사용하기에 부족하지 않다는 생각이 들었다. 이 레스토랑은 글로브 극장 때문에 유명할 뿐만 아니라, 음식 맛이 좋다고 알려져 있기도 하다. 가격은 런던에서 평범한 수준이다.

우리가 이곳에서 먹은 '소고기 파이'라는 음식은 한국식으로는 '소고기 그라탱'이라고 불러야 할 것 같았다. 붉은 포도주를 넣은 소스에 다진 채소와 소고기를 버무린 뒤 빵 반죽을 덮어서 오븐에 구운 음식인데, 데친 브로콜리를 곁들여 먹으니 맛이 일품이었다. 우리는 이 요리에 버거를 추가해서 즐거운 식사 시간을 가졌다.

전통적으로 인구밀도가 높은 아시아에서는 곡물 경작에 집중하였고, 인구밀도가 낮은 유럽에서는 목축업이 발전했다. 그러다 보

* A. 하우저, 『문학과 예술의 사회사 근세 편』, 창작과 비평사

스완 셰익스피어 글로브 레스토랑

소고기 그라탱과 버거

니 아시아인들의 식사는 식물성이고, 유럽인의 식사는 육식성이었다. 그래서 "유럽인의 배를 채우기 위해서 천 년 이상 짐승을 도륙했다"라는 말이 나오기도 했다.* 하지만 근대에 들어 서유럽의 인구가 증가하면서 서구인의 식사도 점차 식물성으로 바뀌게 되었

* 페르낭 브로델, 『물질문명과 자본주의 I-1』, 까치

다. 서구인들이 다시 육식성 식사를 하게 된 것은 19세기 후반 이후였다고 한다. 게다가 18세기 초까지도 흰 빵을 먹는 사람은 유럽 전체인구의 4%를 넘지 않는 수준이었다. 순수한 밀가루로만 만들어진 흰 빵은 당대 대중들에게는 사치품이었던 것이다. 그러다가 1750년경 프랑스와 영국의 대중들이 흰 빵을 먹게 되면서부터 가정에서 빵을 만드는 관행이 사라졌고, 대중들은 대신 빵집에서 구워진 빵을 구매하게 되었다. 그러니 셰익스피어의 연극이 활발했던 시대의 서민들에게는 지금 우리가 먹고 있는 음식이 그림의 떡이었으리라.

글로브 극장의 동쪽인 런던교 남측에는 13세기에 생긴 버러 마켓(Borough Market)이 있다. 런던에서 가장 오래된 식료품 시장인 이곳은 원래 런던교 남측 템스강 기슭에 있었다. 그러나 1560년대 이후로 런던에서 마차를 타고 다니는 사람이 대폭 증가해 런던교 인근이 복잡해지자, 교통 혼잡을 피하기 위해 최초의 자리에서 이동하여 1756년에 현재의 위치에 정착하였다고 한다.

이후로도 여러 번의 정비 사업이 추진되었기 때문에 시장 건물은 지금까지 양호한 상태를 유지하고 있다. 이곳은 런던에서 유일한 자치 시장으로 독립적인 상인들이 재단을 만들어서 관리를 위임했다고 한다. 런던의 관광 명소인 이곳은 여행객으로 인산인해를 이루고 있다. 여기서 팔리는 식료품으로는 치즈, 빵, 쿠키, 초콜릿, 사탕, 육가공품 등이 많았는데, 대부분이 소규모 작업장에서 만들어진 수제품으로 보였다. 이곳의 상품들은 높은 품질로 명성을 얻고 있다고 하는데, 시장 관리인들이 상품의 품질을 유지하기 위해

BOROUGH MARKET
RAYA
BOROUGH MARKET
BEEF
RAISED
OUTDOORS
CAPREOLUS
DE LA GRENADE
Grenada
DE LA GRENADE
GRENADA
SMOKED
SAUSAGES

버러 마켓 전경

서 엄격하게 감독하고 있다고 한다. 한국의 재래시장처럼 왁자지껄한 분위기가 있는 곳으로 사람 사는 냄새가 물씬 풍기는 장소이다. 런던의 음식 문화가 형편없다는 이야기를 흔히 들어본 사람들이 이곳에 들르면, 이전의 소문이 틀렸음을 알게 될 것이다. 이곳에서는 세계 여러 나라의 전통 음식 향연을 감상할 수 있다.

17세기 유럽 경제의 중심지가 암스테르담이었다면, 18세기 유럽 경제의 새로운 중심지로 부상한 곳이 바로 런던이다. 이 시대에 영국이 네덜란드를 능가하며 유럽 최고의 경제 선진국으로 등극했기 때문이다. 당시에 영국은 세계 최고의 해양 무역 국가로서 설탕, 담배, 차, 커피, 초콜릿, 면직물 등을 주로 아시아, 아메리카, 아프리카에서 들여왔고, 이것들을 가공하여 완제품을 국내외 시장에서 판매하였다. 이 과정에서 제조업과 상업 그리고 금융업이 발전하였다.

"네덜란드와 영국 같은 유럽의 북서 지역에서 근대 자본주의가 번영한 문화적인 배경이 있었나요?"

"두 나라에서는 국민의 대부분이 청교도라고 불리는 금욕주의적인 개신교도였는데, 이들은 영리 활동을 통해서 벌어들인 돈을 소비하지 않고 대신에 생산과 부를 증가시키기 위한 투자에 사용하였어. 그들은 부의 축적이 신의 은총이라고 생각했기에 자신들이 신의 은총을 받았다는 것을 확신하려고 부의 축적에 몰두했어."

베버가 '자본주의 정신'이라고 정의한 이것은 런던 상인들에게

18세기의 런던(Wikipedia)

기업가적 행위의 동기와 추진력으로 작용했다고 한다.*

마침내 1800년경에 런던은 인구 약 1백만 명에 도달하여 유럽에서 가장 큰 도시일 뿐만 아니라 새로운 유행이 범람하는 생기 넘치는 공간으로 변신하였다.

> "런던에 싫증 났다는 것은 삶에 싫증 났다는 것이다. 런던은 삶이 제공할 수 있는 모든 것을 포함하고 있으므로."**

이른바 '해가 지지 않는 나라'였던 19세기 대영제국의 시대에 런던은 세계의 중심 도시였으며 그 찬란했던 자취는 지금까지 그대로 남아있다. 이제 우리들의 런던 기행은 대영제국 시대의 자취를 찾아가는 여정이 되었다.

* 막스 베버, 『프로테스탄트 윤리와 자본주의 정신』
** 페르낭 브로델, 『물질문명과 자본주의 I-2』, 까치

Ⅱ. 대영제국 시대의 런던

위대한 대영제국에서 런던이 맡지 않은 역할이 무엇이 있겠는가? 런던은 처음부터 끝까지 영국의 모든 것을 건설하고 방향을 결정했다.*

우리는 런던탑에서 서쪽으로 걷고 있었다. 이리로 가면 런던의 금융 중심지로 진입할 것이었다. 거리의 양옆에는 큼직한 석조 건물들이 흔히 눈에 띄었고, 거리의 분위기는 밝고 풍요로웠다.

사우스워크에서 보는 City of London 전경

* 페르낭 브로델, 『물질문명과 자본주의 III-1』, 까치

City of London

춥고 음습한 기후에 작은 인구를 가진 유럽의 변방 영국이 근대에 들어서 세계의 중심으로 도약한 위대한 역사의 살아 있는 증인이 바로 City of London이다. 흔히 'the City'라고 불리는 런던의 역사적 중심지는 옛날에 성벽으로 둘러싸인 시내였고, 여기에 7개의 성문이 나 있었다.

우리가 런던탑에서 서쪽으로 향해 출발하자마자 자그마한 청동상과 방 벽의 잔해가 눈에 들어왔다. 무심한 여행자는 그냥 지나칠 수 있는 보잘것없는 유물, 유적이지만, 이것들이 바로 City of London이 로마 제국 시대에 건설된 도시라는 사실을 알려주는 산 증인이다. 청동상은 로마 제국의 영토를 최대로 넓힌 황제이자 5현제 중의 한 명인 트라야누스의 상이다.

로마 제국 시대의 유적

City of London 중심부 전경

오늘날 City of London 지역은 5천 개가 넘는 금융 기관이 밀집된 런던의 금융 중심가다. 우리가 이 지역을 걸어 다니면서 느꼈던 것은 활기와 풍요함이었다. 비록 20세기에 들어서 영국 경제가 쇠락하고 런던이 세계 금융의 중심지 지위를 뉴욕에 빼앗겼지만, 아직도 런던은 유럽 최고의 금융 중심지이다.

19세기 City of London의 찬란했던 금융적 위상을 보여주는 건물이 바로 구 증권거래소이다. 거리의 중심부에서 가장 눈에 띄는 우아한 이 건물은 여행객의 발길을 끌어당긴다.

런던의 구 증권거래소(Royal Exchange) 전경

16세기 말 엘리자베스 1세 시기에 그레셤 경이 안트베르펜의 증권거래소를 모델로 삼아 런던 증권거래소를 설립하였다. 17세기에는 증권 거래의 활성화를 위한 제도적 기반이 만들어져서 정부와 기업에 필요한 자금을 효율적으로 공급하게 되었다. 이를 기반으로 18~19세기의 영국은 자신의 적국들보다 우월한 전비 동원 능력을 갖추었고, 그만큼 많은 전쟁을 수행할 수 있게 되었다.

"상인들의 제국은 정복에 필요한 자금을 훨씬 더 영리하게 조달했다. 세금을 내고 싶어 하는 사람은 아무도 없지만, 투자를 하라고 하면 모두가 기꺼이 한다."*

구 증권거래소 내부 전경

런던의 구 증권거래소 건물은 1838년에 화재로 전소된 후에 신고전주의 양식으로 새로 설계되어 1844년에 완공되었다.

* 유발 하라리, 『사피엔스』, 김영사

지금은 명품 판매점과 고급 카페가 자리하고 있는 이 건물의 실내 중정에서 우리는 차를 들면서 잠시 휴식의 시간을 가졌다. 그러던 중 평소에 주식 투자를 하는 후배가 말을 꺼냈다.

"남해회사 사건이 이곳에서 발생했지요?"
"맞아. 1720년에 런던의 증권시장에서 '남해회사 거품 사건'이 발생하였지."

남해회사란 1711년에 영국에서 주식회사 형태로 설립된 기업으로, 영국 정부로부터 남아메리카와의 무역 독점권을 부여받았다. 이 회사는 1720년에 3회에 걸쳐 신주 발행을 하면서 자신들의 사업에 엄청난 수익이 예상된다는 소문을 퍼트려 주가가 오르도록 부채질을 하였다. 이로 인해 남해회사의 주가는 몇 개월 동안 10배나 상승했다. 사실상 남해회사는 본업에서는 돈을 벌지 못하면서 주식 장사로 크게 재미를 본 것이었다. 그 시절에 프랑스인, 네덜란드인 및 스위스인도 남해회사 주식을 매수했는데, 그중의 한 사람이었던 프랑스의 은행가 마르텐은 이렇게 말했다고 한다.

"이 세상의 다른 사람들 모두가 미쳤다면, 어느 정도는 우리도 그들을 흉내 내야 한다."*

"이 말은 증권시장 격언으로 '달리는 말에 올라타라'라는 뜻으로 해석이 되지 않겠어요?"

* 찰스 킨들버거, 『광기, 패닉, 붕괴 금융위기의 역사』, 굿모닝북스

남해회사 거품 사건(Wikipedia)

"하하, 폭탄 돌리기를 할 때는 적당할 때 빠져나와야 목숨을 건지는 법이기도 하지."

결국은 정부가 '거품 회사 규제법'을 만들어 개입하면서 주가는 불과 몇 개월 만에 제자리로 돌아왔고, 많은 사람이 파산으로 자살했다. 물리학자 뉴턴은 남해회사 주식으로 2만 파운드의 손해를 봤다고 한다. 그는 죽을 때까지 주식 투자 실패로 발생한 부채를 갚느라 고생했다는데, 이 사건과 관련해서 이런 말을 남겼다.

"천체의 움직임은 계산할 수 있어도, 사람의 광기는 도저히 측정할 수가 없다."

영국은행

구 증권거래소의 왼쪽 편에 있는 웅장한 석조 건물이 바로 영국은행 건물이다.

영국은행은 스웨덴 국립은행 다음으로 오래된 중앙은행으로 1694년에 설립되었고, 1734년에 현재의 건물로 이전하였다. 영국은행은 중앙은행권 파운드화 지폐를 발행하였다. 이와 함께 처음에는 지폐의 가치를 은으로 보장하는 은본위제를 시행하다가, 1816년에는 금으로 보장하는 금본위제를 공식적으로 시작하였다. 어쨌든 영국에서는 18세기 후반부터 상거래나 금융거래에 주로 지폐를 사용했고, 금화나 은화로의 대금 결제는 드문 일이었다. 훗날에는 지폐의 가치를 귀금속으로 보장하지 않고 공권력으로 지폐를 강제로 통용시켜도 아무런 문제가 생기지 않는다는 것이 드러났다. 그래서 오늘날 금본위제도는 사라져버린 옛날이야기가 되어버렸다.

영국은행을 중심축으로 삼고서 대출 업무에 종사했던 런던의 상업은행들은 18세기 중반 이후로 그 수가 계속 증가하여 1820년에는 약 100개에 이르렀다.* 이들이 저금리 대출을 대규모로 기업에 제공하여 영국은 세계에서 가장 먼저 산업혁명을 수행했고 결국 19세기 중반에 세계 최고의 산업국이 될 수 있었다. 산업혁명을 거치면서 영국은 제조업과 운송 분야에서 경쟁력을 극적으로 끌어올렸다. 산업혁명이란 그 이전까지 생산과 운송을 위하여 사용하던 동물의 힘이나 수력, 풍력 등의 자연적인 에너지를 증기기관이라는 기계적인 에너지로 대체한 것을 의미한다.

"증기기관이 출현하기 이전 시대에 서구 사회에서 가장 발전한 동력원은 무엇이었나요?"

"12-13세기부터 본격적으로 사용된 물레방아였어. 물레방아는 물의 힘으로 회전하는 장치로 직물 생산과 곡물 도정 그리고 제재(製材)용으로 흔히 사용되었지."

* 페르낭 브로델, 『물질문명과 자본주의 III-2』, 까치

물레방아(Wikipedia)

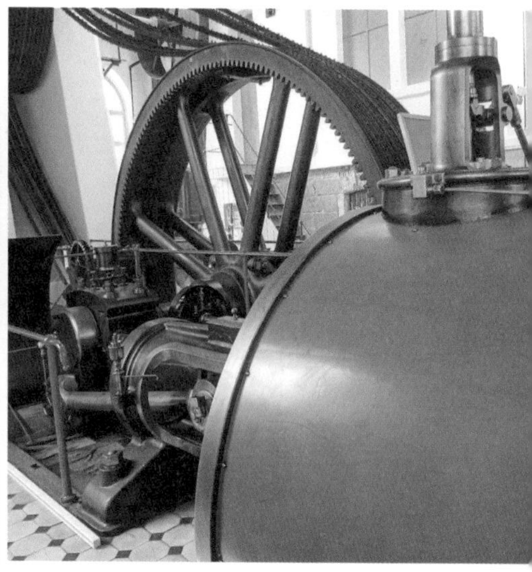

증기기관(Wikipedia)

17-18세기에 서구 사회에서 발생한 과학기술 혁명으로 인하여 다양한 종류의 도구와 기계가 발명되었지만, 기계적인 동력원의 발전은 뒤처져 있었다. 그런데 물을 끓여서 증기의 힘으로 피스톤을 움직이는 증기기관이 출현하여 기계적인 동력을 공급하게 되면서 기술의 발전에 새로운 지평이 열리게 되었다.

"이런 장치가 최초로 어디에서 사용되었나요?"
"최초에는 영국의 탄광에서 갱도 바닥에 고인 물을 밖으로 배출시키는 펌프를 작동시키기 위해서, 나중에는 직물 공장에서 실을 잣고 천을 짜는 기계를 작동시키는 데 사용되었어."

증기기관차(Wikipedia)

산업혁명과 함께 공장과 기계로 상징되는 근대 유럽의 풍경은 영국에서 처음으로 출현하여 점차 유럽의 다른 지역으로 번져 나갔다.

"산업혁명이 영국에서 가장 먼저 발생한 이유가 무엇이죠?"
"영국에서는 일찍이 상공업이 발전하면서 규모가 큰 수공업 공장이 흔해졌고, 이로 인해 기계적 동력으로 작동하는 기계 장치에 대한 잠재적인 수요가 충분히 존재했지."

산업혁명의 성과는 면직물 생산에서 가장 크게 나타났다. 17세기부터 품질이 좋고 값이 싼 인도산 면직물이 유럽에 수입되어 유행했는데, 영국의 직물 업자들은 인도산 면직물보다 저렴한 면직물을 생산하기 위하여 증기기관으로 작동하는 기계를 사용하려 하였

증기기관 방직기(Wikipedia)

다. 그래서 1800년경에는 증기기관으로 작동되는 방적기(실을 뽑는 기계)와 방직기(천을 짜는 기계)가 출현하여 영국의 면방직업은 세계 최고의 경쟁력을 갖추게 되었다.

단적으로 비교하면 증기기관으로 작동하는 방직기 한 대가 손으로 베틀을 움직이는 직공에 비해 20배나 많은 생산을 할 수 있었다. 덕분에 영국이 생산하는 면직물의 가격 경쟁력이 크게 향상되어 1850년에는 영국의 전체 수출액에서 면직물이 차지하는 비중이 약 50%나 되었다.

1825년, 영국의 한 탄광에서는 석탄을 운반하는 차량에 증기기관을 장착시켰다. 이렇게 탄생한 증기기관차는 단 한 대가 수백 마

세인트 폴 대성당의 돔

리의 말을 동원해야 운반할 수 있었던 양의 짐을 한결 빠른 속도로 운반할 수 있었다.

1830년에 영국의 리버풀에서 맨체스터까지 승객과 상품을 함께 운송하는 철도 서비스가 시작된 후로 철도가 크게 확장되면서 시민계급의 기차 여행이 보편화되기 시작하였다.

City of London의 중심부에서 밀레니엄 다리 방향으로 걸으면 거대한 돔을 자랑하는 세인트 폴 대성당과 마주친다.

그런데 우리가 파리에서 경험했던 유쾌하지 않았던 일들이 런던에서 다시 발생했다. 세인트 폴 대성당 입구에 다가서는 순간, 초등학생 견학 때문에 이날은 더 이상 입장할 수 없다는 말을 들은 것이다. 난감한 일이었다. 다음 날은 일정상 도저히 다시 올 수 없었기 때문이다. "여행 중에 조그마한 아쉬움이 있어야 추억의 한 부분이 될 수 있다"라고 누군가 했던 말로 자신을 위로하며 뒤돌아섰다.

City of London 최고의 명소는 세인트 폴 대성당이다. 런던 주교좌 성당인 이 건물은 돔의 정상까지 111m에 달하는 높이로 1710년부터 1967년까지 런던에서 가장 높은 건축물이기도 하였다.

본시 그 자리에는 7세기에 지어진 성당이 있었는데 1666년에 화재로 소실되었고, 바로크 양식으로 새로 지어진 건물이 1710년

세인트 폴 대성당 전경

에 완공되었다. 세인트 폴 대성당은 런던을 상징하는 건물 중의 하나이지만 18세기 중반에 런던을 방문한 어떤 프랑스 신부는 이 성당을 이렇게 폄하했다 한다.

> "로마의 성 베드로 성당을 3분의 2 크기로 줄여서 옮겨왔을 뿐이며 그나마 비율도 제대로 지키지 못했다."*

하지만 몇 년 전에 바티칸의 성 베드로 성당을 직접 구경했던 우리가 보기에는, 당시 영국의 번영에 속이 뒤틀린 프랑스인의 입에서 나온 말을 곧이들을 필요는 없을 것 같다.

이 건물의 설계자는 당대 영국 최고의 건축가 '크리스토퍼 랜'이었다. 그는 바로크 양식의 고향인 로마에 가본 적이 없으면서도 런

* 페르낭 브로델, 『물질문명과 자본주의 III-1』, 까치

대화재 기념탑

던에 과감하게 바로크 양식을 실현했다. 그래서인지 '바로크'라는 말은 원래 괴상하다는 의미이지만, 이 성당의 내부에는 괴상하거나 환상적인 요소가 하나도 없고, 반면에 화려하면서도 은은하고 침착한 분위기가 느껴진다. 이 독특한 재해석은 영국식 바로크 양식이라 불려야 할 듯 하다. 이곳에서 열린 국가적인 행사들로는 넬슨 경의 장례식, 웰링턴 공작의 장례식, 윈스턴 처칠과 마거릿 대처의 장례식, 찰스 왕세자와 다이애나의 결혼식 등이 있다.

City of London의 거리를 걷다 보면 높은 탑이 하나 보이는데, 이것이 그 유명한 대화재 기념탑이다.

62m 높이인 도리스 양식 기둥의 정상 부분에 금도금한 납골 항아리를 올린 형태인 이 탑은, City of London을 폐허로 만든 1666

런던대화재(Wikipedia)

년의 런던 대화재 이후의 복구공사 개시를 기념하여 1671~1677년에 세워졌다.

1666년 9월 2~6일에 불길이 City of London의 대부분과 인근 지역을 태웠다. 화재로 인해 1만 3천2백 채의 가옥과 87채의 교구 교회당, 세인트 폴 대성당이 파괴되었다. 이로 인해 당시의 지역 주민 8만 명 중에서 약 7만 명의 집이 파괴된 것으로 추정되었다.

구름이 런던의 하늘을 모두 덮은 듯했고 금방이라도 비가 내릴 것만 같았다. 영국 날씨에 대해서는 익히 들었기에 어느 정도 각오는 했지만, 런던에 도착한 이후로 맑은 날씨를 하루도 못 보았다. 게다가 우리의 몸도 무거웠다. 밤에 숙면을 못 하여 전날의 피로가 가시지 않은 상태로 일어나고는 했기 때문이다. 이런 날은 숙소에서 컵라면이나 끓여 먹는 것이 최상일 터였다. 하지만 우리가 그런 팔자일 수는 없어서 원래의 계획대로 웨스트민스터 지구를 향하여 발걸음을 내디뎠다. 우리의 숙소에서 멀리 떨어진 곳이기에 지하철로 이동하여 웨스트민스터 역에서 내렸다. 구시가지의 서쪽 편에 있는 웨스트민스터 지구에는 웨스트민스터 사원, 웨스트민스터 궁전, 버킹엄 궁전 등의 명소들이 포진해 있다.

그중에서 가장 중요한 곳은 당연히 영국 민주주의의 상징인 의회가 있는 웨스트민스터 궁전이지 않을까. 다른 모든 나라에서처럼 영국에서도 우여곡절을 겪으며 민주주의가 발전하였다. 그 서막은 17세기 중반에 발생한 의회파와 왕당파 사이의 내전으로 거슬러 올라간다. 이 전쟁은 약 10여 년 가까이 이어졌는데, 크롬웰이 이끄는 의회파가 승리하여 절대왕권을 휘둘렀던 국왕 찰스 1세를 처형하고 공화국을 선포하는 것으로 끝을 맺는다. 그러나 1658년에 크롬웰이 사망하면서 공화정은 무너지고, 찰스 1세의 아들인 찰스 2세가 망명지인 프랑스에서 돌아와 국왕으로 즉위해 절대왕권을 휘둘렀다. 그의 뒤를 이어 제임스 2세가 보위에 올랐지만, 1688년에

템스강과 웨스트민스터 궁전 전경

의회가 주도한 명예혁명이 발발하자 그는 해외로 도주하였다. 명예혁명의 일차적인 원인은 스튜어트 왕가의 전제정치였지만, 열렬한 가톨릭교도였던 제임스 2세가 영국을 가톨릭 국가로 되돌리려다 미움을 샀다는 점도 간과할 수는 없다. 당대 영국의 의회와 시민계급 사회에서는 개신교 세력이 지배적이었기 때문이다. 명예혁명은 '무혈혁명'으로 유명하지만, 왕좌를 버리고 해외로 도망간 제임스 2세가 위기의 순간에 코피를 흘렸으니 사실상 '유혈혁명'으로 봐야 한다는 우스개도 있다. 마침내 1689년에 의회에서 통과되어 새로운 국왕 윌리엄 3세가 받아들인 '권리장전'은 국왕의 절대적 권리를 제한하는 법안으로서 입헌군주제의 초석이 되었다. 이후로 영국의 정치체제는 볼테르나 몽테스키외 같은 프랑스 계몽주의자들에게 견제와 균형이 잘 작동하고 국민에게 자유를 보장해주는 바람직한 체제라며 찬양받았고, 나아가 유럽 입헌군주제의 모범이 되었다.

우리는 보슬비를 맞으며 웨스트민스터 다리를 건너고 있었다. 이 정도의 비라면 우산을 쓰기도 번거로웠다.

"입헌군주제는 어떤 제도인가요?"
"국왕이 의회가 제정한 법적인 틀 안에서만 통치권을 행사할 수 있는 제도이지. 국왕과 의회가 공동으로 통치하는 제도라고도 표현할 수 있는데, 실제로는 의회의 권력이 왕권을 능가했어."
"명예혁명과 입헌군주제에 사상적 토대를 제공한 사람이 존 로크였다죠?"

웨스트민스터 다리 위에서

"맞아. 로크는 국왕이 국민의 자연적 권리인 생명, 자유, 재산을 침해할 경우 국민은 '저항권'을 사용하여 국왕을 제거할 수 있다고 주장하며 명예혁명을 정당화했고, 국민의 자연적 권리를 보호하기 위해서는 전제군주제보다는 입헌군주제가 바람직하다고 생각했어."

"영국의 권리장전과 프랑스의 인권선언이 흔히 비교되는데, 양자는 본질에 있어서 어떻게 다른가요?"

"권리장전이 의회의 권리를 천명한 것이라면, 인권선언은 인간의 권리에 관한 보편적인 원칙을 천명한 것이라고 할 수 있지."

② 웨스트민스터 궁전

이곳이 궁전이라고 불리게 된 것은 1097년부터 건물들이 세워져 한동안 왕가의 거처로 사용되었기 때문이다. 하지만 1834년 10월에 이곳에서 대화재가 발생하여 초기의 건물들은 전소되었고, 현재의 건물들은 1840~1870년에 신고딕 양식으로 새로 지어진 것이다.

> "이 건물의 윤곽선은 저 멀리 런던의 안개 속에서 보면 상당히 위엄이 있어 보이는 반면 가까이서 보이는 고딕 장식은 낭만적인 분위기를 연출해주고 있다."*

의회 건물이 중세 후기 건축 양식인 고딕으로 새로 지어진 연유는, 영국에서 최초로 국왕의 권력을 제한하고 시민적 자유와 권리를 확립한 마그나 카르타(대헌장, 1215년)와 의회의 탄생(1300년경)이 모두 중세 후기에 발생한 사건이었기 때문이라고 한다. 영국 민주주의의 깊은 뿌리에 대한 영국인의 자긍심을 느낄 수 있는 건물이다. 웨스트민스터 궁전은 오늘날 영국의 하원과 상원이 함께

* E.H.곰브리치, 『서양미술사』, 예경

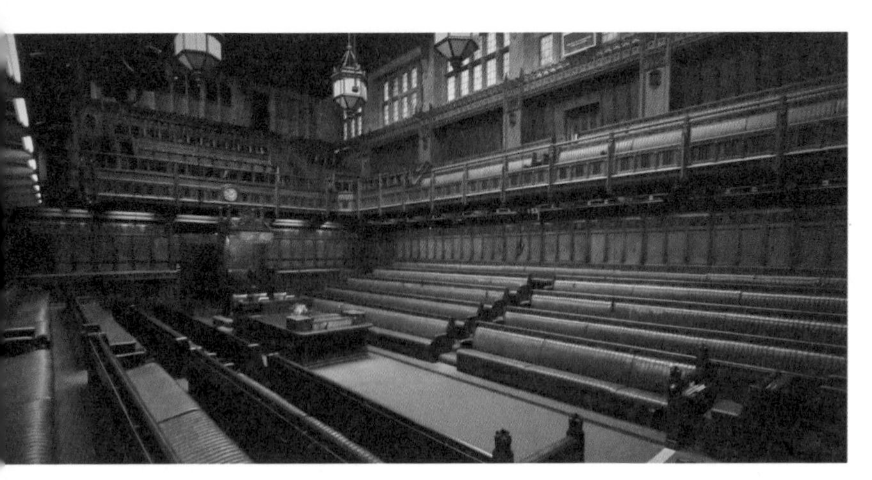

영국 하원회의장(Wikipedia)

입주한 국회의사당으로 사용되고 있다.

웨스트민스터 궁전에는 3개의 탑이 있는데, 그중에서 가장 유명한 것은 오른쪽에 있는 엘리자베스 타워이다. 높이가 96m인 이 탑(빅벤)에는 철제 틀의 한 면이 7m나 되는 거대한 시계가 설치되어 있다. 1859년부터 작동하고 있는 이 시계는 뛰어난 정확도를 자랑하고 있다.

"유럽에서 기계식 시계가 출현한 것은 언제인가요?"
"중세 후기인 13세기 후반에 베네딕투스 수도사들에 의해 처음으로 사용되었다고 하더군."
"수도사들이 처음으로 시계를 사용한 이유가 무엇인가요?"

엘리자베스 타워

"수도사들은 하나님의 영광을 기리기 위해 시간을 최대한으로 활용해야 한다고 생각했지. 그래서 모든 활동에는 정해진 시간이 있었어. 예를 들면 기도 시간, 식사 시간, 명상 시간, 노동 시간, 취침 시간 등으로 일과가 정해져 있었던 것이지."

"그러면 일반인들은 언제부터 시계를 사용했나요?"

"1344년에 북부 이탈리아 파도바의 공공 광장에 시계가 설치된 이후 이탈리아의 여러 도시에 공공 시계가 설치되었지."

당시 커다란 공공 시계는 설치뿐만 아니라 유지 및 보수에도 큰 비용이 들었기 때문에, 시계의 설치 여부를 둘러싼 길고 열띤 논쟁이 발생했다고 한다.

14세기 말에 파리에서는 이런 시가 출현했다.

"시계란 곰곰이 생각할수록
매우 아름답고 놀라운 기구로다.
보기 좋고 유용하며
그 절묘함으로
해가 뜨지 않을 때조차도
밤낮으로 우리에게 시간을 알려줘야 하니
우리는 시계에 더 큰 상을 주어야 하리."*

* 카를로 치폴라, 『시계와 문명』, 미지북스

근대 사회에 들어서 시간의 중요성은 더욱 커졌고, '시간은 돈이다'라는 격언은 진리가 되었다. 생산과 판매 같이 돈벌이와 관련된 활동은 시간과 밀접한 관련을 맺고 있기 때문이다.

> "이 새로운 산업시대에는 시계처럼 규칙적이고 정확한 것이 최고의 가치였다."*

빅토리아 타워와 센트럴 타워

* 제러미 리프킨, 『유러피언 드림』, 민음사

그래서 거대한 시계는 도시 생활의 중심이 되었고, 시계탑은 도시의 상징이 되었다. 그러니 시계탑으로서의 엘리자베스 타워는 런던시의 상징물답게 큰 규모로 지어져야 했다.

왼쪽에 있는 빅토리아 타워는 높이가 98.5m로 셋 중에서 가장 높다. 탑의 하부에는 왕이 출입하는 문이 있으며, 주로 의회의 개회나 중요한 행사들을 공표하기 위해 사용되었다. 입구는 15m 크기

입구 부분 전경

의 아치 형태이고 성 조지, 빅토리아 여왕 등의 조각상들로 장식되어 있다. 빅토리아 타워는 12층에 달하는 철제 선반에 3백만 개에 달하는 의회 문서들을 보관하고 있다.

센트럴 타워는 세 개의 탑 중에서 가장 낮은 것으로 높이는 91m이다. 이 탑은 건물의 중앙 로비 바로 위에 우뚝 솟아 있다. 본시 이 탑은 환기용 굴뚝으로 사용하기 위해 지어졌지만, 결과적으로 환기라는 면에서는 실패했다고 한다.

우리는 웨스트민스터 궁전 관람을 미처 예약하지 못한 바람에 안으로 들어가지 못하고 밖에서 촬영만 하고는 그 자리를 떠났다. 조금 아쉬움이 있었지만, 아직은 우리가 가야 할 곳이 많이 남아있어서 미련을 오래 간직할 수는 없었다.

우리는 웨스트민스터 궁전에서 서쪽으로 약 10분간 걸어 버킹엄 궁전에 도달했다. 버킹엄 궁전에 이르는 길은 '성 제임스 공원'의 옆면을 지나가는 직선의 길로서 산책하기에 좋은 코스로 보였다.

③ 버킹엄 궁전

버킹엄 궁전 전경

버킹엄 궁전 근위병 교대식

버킹엄 궁전은 본시 1703년에 버킹엄 공작의 관저로 건축되었지만, 훗날인 1761년에 국왕 조지 3세가 이 건물을 획득하여 사저로 사용하였다. 이후로 75년간 이 건물은 계속해서 확장되어, 결국에는 중정을 둘러싼 3개의 날개 건물을 포함한 형태가 되었다.

우리가 버킹엄 궁전에 도착했을 때 많은 사람이 정문 앞에 몰려서 야단법석을 떨고 있었다. 가까이 가서 보니 왕실 근위병들의 교대식이 거행되고 있었다. 우리 역시 군중들 틈에 끼어서 이 장면을 지켜보았다.

1837년에 빅토리아 여왕의 즉위와 함께 이곳은 영국 왕가의 공식적인 거처가 되었다. 이 세상에는 자신의 능력과 자질에 비교해서 과분한 행운을 안고 태어나는 사람이 종종 있는데, 영국의 빅토리아 여왕이 대표적인 경우이다. 그녀가 19세기 대영제국의 전성

빅토리아 여왕(Wikipedia)

시대에 무려 64년간이나 재위를 하는 바람에, 그녀의 이름에서 영국의 황금시대를 의미하는 '빅토리아 시대'라는 말이 유래하기도 했다.

한 사람의 여성으로서 빅토리아 여왕은 도덕적으로 정직하고 가사에 충실한 여성의 덕목을 중시하는 이미지를 구축했다. 한편 그녀는 9명의 자녀를 출산하고는 '출산은 결혼의 어두운 측면'이라는 말을 했다고도 한다.*

그녀는 남편 앨버트 공이 1861년에 사망한 뒤로는 깊은 슬픔으로 인해 우울증에 빠져있었고, 정치를 멀리하며 공식 석상에 나서기를 꺼렸다. 그런데 본시 고집이 세고 딱딱한 여인으로 알려졌던 여왕이 50대 중반의 나이에 사랑에 빠져서 소녀 같은 여인으로 변모하는 깜짝 놀랄만한 사건이 발생했다. 사연인즉, 1874년에 새로이 총리가 된 디즈레일리라는 사람이 여왕을 몇 번 알현한 뒤에 그녀의 완고하고 절제된 겉모습 뒤에 숨겨진 여성적인 내면을 파악하고서는, 그 내밀한 마음을 어루만져주는 언행으로 여왕을 사로잡은 것이다. 더욱 놀라운 점은 디즈레일리는 당시 70세가 넘은 노인이었던 데다가 볼품없는 외모의 소유자였다는 사실이다.** 남성은 외모가 아니라 언행으로 여성의 마음을 얻는다는 것을 알려준 전형적인 사례였다.

* 주디스 코핀, 『새로운 서양 문명의 역사 하권』, 소나무
** 로버트 그린, 『유혹의 기술』, 웅진지식하우스

버킹엄 궁전은 오늘날 영국의 국왕 가족이 거주하는 장소이면서, 외국에서 온 국빈을 영접하는 장소이자 런던의 대표적인 관광 명소 중의 하나이다.

"베르사유 궁전과 비교하면 버킹엄 궁전은 많이 뒤지는데요."
"하하, 절대군주와 입헌군주 간의 차이가 아니겠어."
"그러겠죠. '민주주의가 발달할수록 왕궁은 초라해진다'는 법칙이 생기겠어요."
"그렇지. 우리가 '왕궁의 법칙'이라고 이름을 붙이자고."

버킹엄 궁전 내부(Wikipedia)

오래 걸어 다닌 바람에 갈증과 허기를 느낀 우리는 버킹엄 궁전 근처에서 적당한 카페를 찾았다. 그 근방에는 대체로 번듯한 카페가 많았는데, 우리는 그중에서 '하드록 카페'라는 상호를 붙인 곳으로 들어갔다. 이곳의 내부는 고전적이라기보다는 현대적으로 꾸며졌고, 상호에 맞추듯이 하드록 음악이 계속 흘러나왔다. 나는 평소에 하드록을 좋아하지는 않았지만, 그날은 창밖의 잿빛 날씨를 잊으려고 그랬는지 잠시 흥겨워져서 발과 어깨를 조금씩 흔들고 말았다. 그때 평소에 하드록을 좋아하던 후배가 갑자기 눈을 치켜뜨며 자리에서 일어나 내가 앉은 뒷면의 벽을 뚫어지게 보더니 "이거 에릭 클랩튼의 기타인데요" 하고 말했다. 그 벽면에는 전자 기타가 전시되고 있었다. 사실 나는 그가 누군지 몰라서 "유명한 가수인가?" 하고 물었다. 그랬더니 후배는 "그럼요. 대단한 가수지요" 하는 것이었다. 나는 다시 "그렇게 대단한 가수가 여기에 기타를 맡기고 술을 마셨을까?" 하고 고개를 갸우뚱하였다. 후배는 "무명 시절에 그랬나 보죠" 하면서 웃음기를 띠었다. 나도 웃으면서 "하기는, 나폴레옹도 르프로코프에 모자를 맡기고 차를 마셨잖아" 하고 대꾸했다. 마침내 후배가 "그러게요! 예술의 도시 파리는 패션 장식품인 모자를, 산업혁명의 시조인 런던은 기계식을 더 선호했던 것 같네요!"라고 하자, 우리는 함께 웃음을 터트리고 말았다.

우리는 이곳에서 버거와 맥주를 들면서 즐겁고 여유로운 시간을 보냈다. 어느새 창밖의 흐린 날씨도 우울하기는커녕 런던의 낭만처럼 느껴졌다. 이곳에서 먹은 버거의 맛은 무난하였고, 영국 맥주의 맛은 독일이나 벨기에 맥주에 비교하면 싱거웠다.

중세 이후로 지금의 독일, 벨기에, 네덜란드, 영국 등에서 맥주는

에릭 클랩튼의 기타

대중 음료로 인기를 얻게 되었다. 춥고 습한 기후 때문에 포도 농사가 안되는 이 지역에서는 밀, 보리 등을 주원료로 하여 맥주를 생산하였는데, 8~9세기부터는 쓴맛을 첨가하고 보존성을 높일 요량으로 홉(hop)을 넣기 시작하였다. 사실 부유한 귀족들은 맥주보다는 비싼 포도주를 주로 마셨다. 16세기에 브뤼셀의 어떤 귀족은 맥주를 경멸하는 이유를 "열병에 걸린 말 오줌 같이 보이기 때문이다"라고 했다고 한다.* 하지만 신성로마제국 황제 카를 5세는 맥주를 입에 달고 살았다고 한다. 그 덕택에 맥주는 '황제의 음료'로 격상되었다.

* 페르낭 브로델, 『물질문명과 자본주의 I-1』, 까치

④ 하이드 파크, 로열 앨버트 홀, 자연사 박물관

버킹엄 궁전에서 북서쪽에 있는 하이드 파크는 여행객이 평화와 낭만을 즐기고 휴식을 취하기에 더할 나위 없이 좋은 장소이다. 대도시 한복판에 이렇게 넓고 자연적인 공원이 존재한다는 사실이 놀라웠고, 서울과 비교하자 내심 부러움까지 느껴졌다.

1637년에 만들어진 이 공원은 런던의 중심부에 있는 가장 큰 공원 중 하나이다. 1.4km²의 면적을 보유하고 있는 이 공원은 서펜타인 호수를 경계로 하여 2.5km²의 켄싱턴 공원과 접하고 있다.

영국식 정원 양식은 흔히 '풍경 정원'이라고 불리듯 자연적인 아름다움이 두드러져서, 베르사유 궁전 정원 같은 인공적인 아름다움을 강조한 바로크 양식의 정원과 대조된다. 하이드 파크는 영국식 정원 양식을 확대했다고 상상하면 될 듯하다.

"영국식 정원을 어떻게 설명할 수 있을까요?"
"자연이 스스로 예술가가 된 정원이라고 표현할 수 있을 듯한데. 물론 인간의 손길이 조금 가해지기는 했지만, 자연이 스스로 제 모습을 가꾸어 나가는 정원이라고 할 수 있어."

하이드 파크 전경(Wikipedia)

수정궁(Wikipedia)

하이드 파크가 단순히 자연을 즐기는 평화로운 장소였던 것만은 아니다. 19세기 대영제국 시대에는 만국박람회를 비롯한 수많은 정치적, 사회적 행사가 이곳에서 치러졌다.

특히 1851년에 이곳에서 열린 만국박람회는 대단한 화제였다. 당시에 행사 장소로 사용된 수정궁은 철과 유리로 지어진 거대한 조립식 건물이었는데, 1936년에 화재로 소실되었다.

오늘날에는 조깅이나 산책하는 사람들이 가장 흔하게 눈에 띈다. 한여름이었다면 아이스크림을 먹으면서 벤치에 앉아 자연을 즐

하이드 파크 산책로

기기 좋을 법한 장소이지만, 춥고 흐린 때에는 조금 스산한 장소이기도 하다. 우리는 벤치에 앉기보다는 산책을 하면서 공원을 둘러보았다. 수풀 속에서 들리는 새소리가 적막을 깨트리고 있었다.

하이드 파크를 떠난 우리는 남쪽으로 걸으면서 사우스 켄싱턴 지구로 향하였다. 빅토리아 시대에 세워진 런던 최고의 콘서트홀인 로열 앨버트 홀을 찾아가는 길이었다.

"흔히 영국은 '팝의 나라'로 알려져 있잖아요?"
"그렇지. 유럽 대륙에서와는 달리 영국에서는 클래식이 그다지 발달하지 않았다고 할 수 있어."
"영국에서 최초로 교향곡이 인기를 얻은 것은 언제인가요?"
"19세기 초에 하이든이 영국으로 온 이후였지."

오스트리아 출신 하이든(1732-1809)은 18세기 후반에 모차르트와 함께 고전주의 음악의 선두주자였다. 그는 평생을 귀족 가문에 고용된 음악가로서 하인처럼 살다가 19세기 초, 생애 마지막 5년 동안을 런던에서 자유로운 작곡가로 살았다. 당시 런던에는 상업적 문화 시장이 존재했기 때문에 하이든은 청중을 위해 작곡 활동을 하면서 생계를 유지할 수 있었다. 그는 런던에서 천재 작곡가로 대접받으며 12편의 교향곡을 완성하였는데, 이 작품들은 흔히 '런던 심포니'로 불리며 하이든 교향곡의 최고 작품으로 평가되고 있다.

드디어 우리 눈앞에 나타난 로열 앨버트 홀은 지붕 공사를 하고는 있었지만, 사진에서 본 모습과 별로 다르지 않았다. 크기와 형태 모두 상상했던 그대로였다.

이 건물은 1871년에 개장된 곳으로 총 8천4백 명(좌석 6천 명, 입석 2천5백 명)의 관객을 수용할 수 있는 대형 공연장이다. 로마의 원형극장에서 영감을 얻어 설계되었다고 알려진 이 건물은 빅토리아 여왕의 남편으로 1861년에 사망한 독일 작센왕가 출신의 앨

로열 앨버트 홀 전경

버트 공을 기리기 위하여 '로열 앨버트 홀'이라는 이름이 붙여졌다. 앨버트 공은 덕망 있는 성품과 고결한 행실로 가족들과 가까운 지인들에게는 존경을 받았지만 유머 감각과 사교성이 부족한, 독일인다운 우울한 성품 탓에 영국인들에게 인기를 얻지 못했다고 한다. 영국 언론에서 흔히 그를 '차가운 샌님'이라고 불렀을 정도니 그에 대한 평가가 어땠는지 알 만도 하다. 앨버트 공은 부인인 빅토리아 여왕과는 금실이 좋았다고 알려 있지만, 처가살이가 힘들었는지 잦은 병치레를 하더니 끝내 42세의 젊은 나이로 사망하였다. '겉보리 서 말만 있으면 처가살이하지 말라'라는 옛말은 그르지 않은듯하다.

로열 앨버트 홀의 내부 전경

입장료를 낸 관람객은 약 한 시간 동안 안내인의 설명을 들으면서 홀 내부의 여러 공간을 구경하고 홀과 관련된 많은 이야기를 들을 수 있다. 뮤지엄 패스를 가진 우리도 여기에 참가할 수 있었다. 약 한 시간 동안 진행된 내부 공간 관람과 설명이 조금 지겨워서 중간에 빠져나갈까 하는 생각도 잠시 했지만, 혹시나 한국인의 명망에 누가 될까 두려워 끝까지 버텼다. 이곳에서 1941년부터 매년 개최되고 있는 전통적인 클래식 음악 여름 콘서트인 'Proms'는 매우 유명하다. 그 밖에도 이곳에서는 유명한 팝 가수, 오페라 가수의 콘서트 그리고 심지어는 권투와 레슬링 경기까지 열린다. 한마디로 이곳은 엔터테인먼트 복합 공간이다.

로열 앨버트 홀의 맞은편에는 54m 높이의 누각 형태인 앨버트 공의 기념관과 거대한 동상이 있다. 죽은 남편에 대한 빅토리아 여

앨버트 공의 기념관과 동상

왕의 그리움 때문에 세워진 것이라고 한다. 그래서 로열 앨버트 홀을 짓는 데는 4년 남짓 걸렸지만, 기념관을 건설하는 데는 12년 세월의 정성이 들어갔다. 1875년에 안치된 앨버트 공의 동상은 의자에 앉아 있는 자세로 로열 앨버트 홀을 바라보고 있는 형태이며, 청동으로 주조된 후 금도금이 되어 화려함으로 사람들의 눈길을 끈다.

앨버트 홀에서 나온 우리는 가까운 곳에 있는 자연사 박물관으로 향했다.

런던의 명소 중의 하나인 이 건물은 신로마네스크 양식으로 설계되어 1881년에 완공되었다. 건물이 무척이나 길쭉한 형태이고, 그 앞 대로변에 버스 같은 커다란 자동차가 빈번히 다니기 때문에 건물 외관 전체를 한 장의 사진에 담는 것은 어려운 일이었다.

자연사 박물관 전경

자연사 박물관 내부 전경

세계에서 가장 큰 자연사 박물관 중 하나인 이곳은 공식적으로는 오랫동안 대영박물관에 속해 있다가, 1996년에 독립적인 박물관이 되었다.

건물 입구에 들어서는 사람들은 먼저 입장료가 무료라는 사실에 놀라고, 다음에는 거대한 공룡의 화석이 보이는 웅장한 실내 공간을 보고 감탄한다.

내부 중앙 계단에 있는 다윈의 대리석상은 이 박물관의 명물이자 근대 생물학에서 다윈이 차지하고 있는 독보적인 지위를 확인할 수 있는 증거물이다. 19세기 최고의 자연과학적 발견의 하나인 진

다윈의 대리석상

화론을 발표한 다윈(1809-1882)은 본시 대학에서 신학을 전공했지만, 성직자가 되지는 않았다. 1831년에 그는 불과 22살의 나이로 해군 측량선 비글호를 타고 약 5년간 탐사 여행을 했는데, 주로 지질과 동식물에 관한 조사를 하였다. 다윈은 돛이 세 개 달린 작은 측량선을 타고 남미 대륙의 아름다운 자연을 구경하면서 1835년 9월에 갈라파고스 제도에 도착했다. 갈라파고스는 남아메리카 대륙에서 서쪽으로 1,000km 떨어진 적도 부근에 있는 제도로, 19개의 섬으로 구성되어 있으며 지금은 에콰도르에 속해 있다. 다윈은 이곳에서 진화의 증거를 발견하였다. 여행에서 돌아온 이후로 그는 20년간 연구 활동을 하면서 1859년에 『자연선택에 의한 종의 기원에 관하여』를 발표하였다. 자연계에서 변이가 발생하면 그중 환경에 가장 잘 적응한 개체가 끝까지 살아남아 후손을 가장 많이 남기게 되고, 이런 과정이 계속 반복되면 시간이 갈수록 종의 형태 또한 변화해간다는 이야기이다. 이와 동시에, 특징이 뚜렷한 변종은 새로운 종이 되면서 종의 분화가 발생한다. 따라서 종의 기원을 찾아 올라가면 공통의 조상을 만나게 된다.

"다윈의 진화론은 출현하자마자 기독교도들의 격렬한 반발에 부딪혔다죠?"

"맞아, 다윈의 '진화론'은 성서에 나오는 창조 이야기를 어린이용 동화 수준으로 끌어내렸지. 우스개로 인간의 조상은 아담과 이브가 아니라 원숭이라는 말이 된 것이지. 사실 다윈은 원숭이란 말을 한 적이 없지만, 사람들은 그의 진화론을 듣고는 즉각 원숭이를 거론하며 격렬한 논쟁을 벌였다고 하더군."

자연사 박물관에서는 공룡을 비롯한 온갖 동식물의 화석과 광물 등 다양한 종류의 전시품을 만나볼 수 있다.

박물관의 전시품

우리는 세계에서 문명사적으로 가장 큰 명성을 누리는 대영박물관을 보기 위해 일찍부터 분주하게 움직였다. 구시가지의 북쪽 지역으로 지하철을 타고 이동해서 정문 앞으로 가니, 개관 시간인 9시까지는 아직 10분이나 남았는데도 관람객 인파로 긴 줄이 생겼다. 공짜 입장이라서 입장권을 사려고 줄을 선 것은 아니고, 오로지 정문 안으로 들어가기 위해서 줄을 선 것이었다.

5 대영박물관(British Museum)

대영박물관은 1753년, 의사이자 식물학자였던 슬론 경이 자신이 보유하고 있던 많은 양의 서적 및 예술 소장품들을 국가에 넘기면서 탄생하였다. 당시 영국의회가 그 소장품들을 대영박물관의 이름으로 수령 및 보관하기로 했기 때문이다. 마침내 1759년에 런던의 블룸베리 지구에 있는 어느 귀족의 저택에서 대영박물관이 최초로 문을 열었다.

아테네의 파르테논 신전에서 영감을 받아 설계되었다고 알려진 현재의 박물관 건물은 1848년에 완공되었다. 이 건물은 19세기 신고전주의 양식을 대표한다는 평가를 받고 있다.

"19세기에 신고전주의 양식의 건물이 많이 지어진 배경은 무엇인가요?"

"이탈리아에서 폼페이 유적이 발굴되면서 18세기 후반 이후로 서구 사회에서 고전 문명에 관한 관심이 폭발적으로 증가했어. 그와 함께 당대의 건축가들이 고대 그리스의 양식으로 눈을 돌린 것이었지."

"그러면, 르네상스 양식과는 어떻게 구별되나요?"

대영박물관 외부 전경

"르네상스 양식이 주로 로마 제국 시대의 건축물에서 영감을 받았다면, 신고전주의 양식은 고대 그리스의 신전에서 가장 큰 영향을 받았다고 할 수 있어."

열정적인 서구의 예술가들은 고대 그리스의 신전들을 찾아다니거나 발굴하였다. 그 영향으로 고대 그리스 신전에서 영감을 받은 신고전주의 양식의 건물이 많이 세워졌다.

18세기 말에 프랑스의 화가 발랑시엔은 시칠리아에서 고대 그리스 신전을 직접 목격하고는 그 감상을 이렇게 적었다.

"그 비례와 순수, 우아함, 엄정한 양식 그리고 잘 보존된 형태로 미루어 내가 알고 있는 가장 아름다운 건축물 중의 하나이다."*

대영박물관에는 현재 약 8백만 개의 소장품이 있는데, 이것들은 인류 문명사 전체와 연관된 것들이라고 할 수 있다.

박물관 내부

* 데이비드 어윈, 『신고전주의』, 한길아트

이곳에 있는 유물 중에서 가장 관심을 끄는 것은 고대 이집트, 메소포타미아 및 아테네의 유물들이다. 이런 유물들로 인하여 영국이 다른 나라에서 문화재 약탈 행위를 했다는 비판을 받는 것이 사실이다. 한편 그 유물들을 이곳으로 가져와 보관하지 않았더라면 현지에서 도굴꾼들에게 털렸거나 아니면 사회 혼란기에 파괴되었을 것이라는 반론이 제기되기도 한다. 크게 보면 유물이란 어차피 인류 문명 전체의 유산이 아니던가. 이곳에 있는 유물들을 보면서 우리는 국적을 초월하여 인류 문명의 발달 과정과 인류란 어떤 존재인가를 생각한다.

고대 이집트의 유물 중에서 문명사적으로 가장 많은 관심을 끌고 있는 것은 로제타석(Rosetta stone)이다.

로제타석

로제타석은 돌에 새겨진 비문으로, 헬레니즘 시대였던 BC 196년경에 만들어진 것으로 추정된다. 현재 남아있는 부분의 크기는 높이 112.3cm, 폭 75.7cm, 깊이 28.4cm이다. 나폴레옹이 이집트를 침공한 직후인 1799년에 그의 휘하장교가 나일강 삼각주에 있는 로제트라는 도시 근처에서 이 비문을 발견했다고 한다. 이 비문의 내용은 고대 그리스 마케도니아 출신인 프톨레마이오스 왕조 통치시대의 '법령'으로 추정된다. 로제타석은 1801년에 알렉산드리아에서 영국군에게 넘겨져, 1802년부터는 대영박물관에 전시되고 있다.

사자의 서

고대 이집트 회화의 특징을 가장 잘 보여주는 유물로서 유명한 <사자의 서(Book of the Dead)>가 이곳에서 전시되고 있다. 이 그림은 이집트 신왕국 시대였던 BC 13세기 초반의 작품으로 고분에서 출토되었다. 여기에는 자칼 머리 모양의 장례의 신 아누비스가 죽은 자의 심장의 무게를 재는 일을 감독하고, 오른쪽에서는 따오기 두상의 전령신 토트가 그 결과를 기록하고 있는 장면이 묘사되었다.*

"대체 죽은 자의 심장 무게는 왜 재는 것이죠?"

"고대 이집트인들은 내세를 믿었는데, 내세에서 영원한 생

* E.H. 곰브리치, 『서양미술사』, 예경

명을 얻을 수 있을지 없을지가 심장의 무게에 달려 있다고 생각했어. 그들은 저승에서 심장의 무게를 재는 것으로 심판을 받는다고 믿었는데, 심장이 죄로 더러워져 있으면 그만큼 무거워지기에 내세에서 영원한 생명을 얻을 수 없다고 여겼던 거지."

목재 관의 회화

파르테논 조각의 방 전경

고대 이집트 회화를 잘 보여주는 또 다른 유물은 목재 관에 그려진 그림으로, 주로 고대 이집트인의 내세관이나 고인의 생애가 묘사되어 있다.

오스만 제국의 수도 이스탄불에 주재하던 영국대사 엘진 경이 1801년부터 10년 동안 아테네의 파르테논 신전에서 많은 장식품

(대리석 조각)을 떼어내 런던으로 가져갔다. 훗날 엘진 경은 자신이 소장하고 있던 대리석 조각들을 영국 정부에 매도하였고, 이후 대영박물관에서는 '파르테논 조각의 방'이라고 불리는 공간을 설치하여 이 조각들을 전시하고 있다.

여기서 환조상은 신전의 내부에 놓였던 것이고, 부조상은 신전 내부의 높은 곳에 연이어 있는 띠 모양의 벽면 장식 조각들이다.

신전 조각상

우르의 깃발(Wikipedia)

고대 중동관에 있는 최고의 유물은 아마도 메소포타미아 수메르 문명의 상징인 <우르의 깃발>일 것이다.

이 유물은 BC 26세기경에 도시국가 우르의 왕궁 묘지에 그려진 벽화이다. 이 작품에는 장식 재료로 조가비, 붉은 석회석, 청금석이 쓰였는데, 조가비는 인물 형상으로 깎아 박아 넣고 검은색으로 세부적인 표현을 했다. 청금석은 조각내어 배경에 박았고, 석회석은 장식적인 효과를 위해 첨가되었다. 그림은 전승 축하연의 왕과 귀족들을 보여주고 있다. 그들은 승리를 자축하며 의식용 의복인 '카우나케'(모직 치마)를 입고 앉아, 오른손으로 술잔을 들어 올리며 신에게 감사하고 있다. 시종들은 왕과 귀족의 시중을 들고 음악가는 수금으로 세레나데를 연주하고 있다. 그리고 아랫단에서는 한 무리의 사람들이 황소, 염소, 생선 따위의 전리품을 연회장으로 가져가기 위해 행렬을 이루고 있다.

고대 아테네의 도자기

18세기 후반 영국의 외교관이며 유명한 고대 미술품 수집가였던 해밀턴 경은 이탈리아 나폴리에 체류하면서 수많은 고대 그리스의 유물들을 수집하였다. 그의 소장품 중에서 가장 유명한 것은 고대 그리스의 도자기였는데, 그것들은 훗날 대영박물관에 팔렸다. 해밀턴 경은 고대 그리스 도자기의 수집과 비평에 대한 자신의 열정을 이렇게 표현했다.

"가장 뛰어난 도자기들 위에 가늘게 그려놓은 이 드로잉들 보다 더 근대의 예술가들을 흥분시키는 고대의 유물은 없다."*

이곳에서 전시되고 있는 아테네의 도자기들은 주로 검은색 바탕에 붉은색 그림이 묘사되어 있으며 역동적인 모습을 보여주고 있다. <사자와 싸우는 헤라클레스> 그리고 <헤라클레스와 아폴론의 싸움> 두 작품 모두가 BC 500년경에 고대 그리스의 도시국가였던 아테네에서 제작되었고 도자기 표면의 그림은 안도키데스(Andokides)에 의해서 그려진 것으로 알려져 있다.

도자기는 고대 그리스인의 생필품이었다. 그들은 도자기에 포도주, 올리브유, 밀 등을 담아서 보관하거나 운반했다. 나아가 그리스의 도시국가 코린트와 아테네는 아름다운 도자기를 지중해 연안의 여러 지역으로 수출해서 부를 축적했다. 시대적으로는 코린트의 도자기가 앞섰지만, 훗날 출현한 아테네의 도자기가 질적으로 코린트의 제품을 추월하였다.

"코린트 도자기와 아테네 도자기는 어떻게 다른가요?"
"코린트 도자기의 그림에서는 주로 정적이면서 청초한 인물이 묘사되었고, 반면에 아테네 도자기에는 역동적인 인물이 그려진 경우가 많았어."

* 데이비드 어윈, 『신고전주의』, 한길아트

BC 6세기 후반부터 아테네산 도자기는 지중해 연안의 도자기 시장을 석권하였고, 도자기에 그림 그리는 일은 아테네 기간산업 중의 하나가 되었다.*

둔황의 유물

대영박물관에는 한 영국인이 중국 둔황의 막고굴에서 가져온 유물들이 전시되고 있다. 1907년에 영국의 탐험가 오렐 스타인이 막고굴을 관리하던 가난하고 무지한 중국인에게 약간의 은화를 주고 약 7천 점의 유물을 유출하여 영국으로 가져갔다. 여기서는 고화와 고문서 그리고 불경 등이 주를 이루고 있다.

* 시오노 나나미, 『그리스인 이야기 1』, 살림

둔황의 막고굴(Wikipedia)

둔황의 막고굴에 있던 이 유물이 오늘날 대영박물관에 전시되고 있는 사연은 근대 중국사의 한 에피소드에서 찾아볼 수 있다. 당시 스타인은 중국 관리인에게 자신이 당나라의 고승을 너무도 존경하기에 그 고승들의 발자취를 좇아 인도에서 중국으로 불경을 가지러 오게 되었다는 이야기를 해주면서 약간의 은화를 내놓았다고 한다. 그러자 그 관리인은 "그렇다면 가져가시오"라고 하면서 흔쾌히 동굴의 문을 열어주었다고 한다.* 청나라 멸망 직전의 혼란기였기에 문화재 관리가 매우 허술했을 터이다.

* 위치우위, 『중국문화기행』, 미래인

대영박물관 열람실(Wikipedia)

대영박물관의 도서 열람실은 1857년, 중정의 한복판에 지름 42.5m의 둥근 돔 지붕을 올리는 것으로 완공되었다.

중세 유럽에서는 양피지로 책을 만들었다. 양피지는 양가죽을 씻어서 늘려낸 다음 석회로 표백한 것으로 글씨를 쓰는 재료로 사용되었다. 중세에 성경책 한 권을 만들기 위해서는 200~300마리의 도살된 양이 필요했다. 그러니 책값은 무지하게 비쌌다. 하지만 1200~1400년에 책 만드는 재료가 양피지에서 종이로 바뀌면서 책값이 1/6로 하락했고, 뒤이은 1454년 구텐베르크가 활판 인쇄술을 발명한 덕분에 책값은 이전의 필사본에 비해 1/5로 떨어졌다. 그리고 1500년 이후로 서구 사회에서 문자 해독률이 급속히 높아지면서 독서는 서구인의 삶에서 중요한 요소가 되었다.* 게다가

* 주디스 코핀, 『새로운 서양 문명의 역사 상권』, 소나무

개조된 유리 돔 건물

1830년 이후로는 수십 년 동안 제지 기술의 혁신과 증기 인쇄기의 개량 등 기술 발전이 계속돼 출판물의 품질이 향상되고 출판 비용은 감소했다. 더불어서 이 시대에 주력 독서층인 시민계급의 팽창으로 출판 붐이 일어났는데, 소설, 시, 희곡이 도서 출판에서 가장 큰 비중을 차지하였다. 당시 대영박물관은 책값을 내지 않고 공짜로 책을 수집했는데, 이는 출판업자들이 자신들이 판권을 가지고 있는 것을 입증하기 위해 국립도서관에 책을 한 권씩 제출했기 때문이었다.

코번트 가든 전경

코번트 가든의 요리

1997년에 열람실에 있던 서적들이 대영도서관으로 옮겨지면서 2000년까지 실내 중정 전체가 새롭게 개조되었다. 현재 이곳은 피곤해진 관람객의 눈과 다리에 휴식을 제공하는 장소가 되었다.

대영박물관을 떠나서 트라팔가 광장으로 향하다 보면 중간에 코번트 가든(Covent Garden)이라고 불리는 쇼핑가에 도달한다. 이곳은 브랜드 상품을 파는 고급 상점과 카페 등이 어우러져 있는 낭만적이고 고급스러운 거리이다.

이 거리의 한 레스토랑에서 저녁 식사를 하게 되었는데, 우리가 주문한 요리는 토마토 소스를 넣고 달짝지근한 맛을 낸 소고기 그라탱과 생선 요리였다.

소고기 그라탱은 별로 입맛에 맞지 않았지만, 살짝 구운 생선은 담백하였고 소스의 맛과 잘 어울렸다. 오늘날 서구인들은 품위 있는 식사를 하고 있어서 식사 예절이라는 면에서 세계인의 모범이 되고 있다. 하지만 중세 서구인의 식사 예절은 거의 야만인 수준이었다. 그 시대 사람들은 긴 벤치에 앉아 식사를 했는데, 식탁 밑에는 지난 식사 동안에 떨어진 음식 찌꺼기들이 널브러져 있었다고 한다. 식사 도구는 거의 없었고, 사람들은 손이나 딱딱하게 마른 빵 조각을 이용해 음식을 먹었다. 식사가 끝나면 사람들은 기다리고 있는 개들이 먹을 수 있도록 축축하고 지저분한 빵조각을 바닥에 떨어뜨렸다. 게다가 사람들은 공동 냄비를 돌려가며 먹다가 입에 걸리는 뼈를 다시 냄비에 뱉기도 했다. 서구인들이 맨손 대신 나이프와 포크를 사용하기 시작한 것은 16세기부터이며, 냄비에 들어 있는 음식은 국자로 떠서 개인 접시에 담아 숟가락을 사용해서 먹게 되었다.* 그러나 이후에도 손가락으로 먹는 습관은 쉽게 사라지지 않았다. 16세기에 독일의 한 목사는 포크 사용을 비난하며 "우리가 이 도구를 쓸 것을 하느님이 원하셨다면 우리에게 왜 손가락을 주셨겠는가?"라고 했다고 한다.** 심지어 루이 14세는 17세기에도 베르사유 궁전에서 손가락으로 닭 스튜 요리를 먹었다고 한다.

* 제러미 리프킨, 『유러피언 드림』, 민음사

** 페르낭 브로델, 『물질문명과 자본주의 I-1』, 까치

6 트라팔가 광장, 국립 미술관, 세인트 마틴 예배당

트라팔가 광장은 런던 시내의 한복판에 있는 커다란 광장으로 런던 시민의 공적 활동과 만남이 이루어지는 대표적인 공간이다. 1840~1845년에 시행되었던 도시 재개발로 인하여 이 광장의 현재 모습이 이루어졌다.

트라팔가 광장 전경

넬슨 기둥

광장의 중앙에는 높이 51m의 넬슨 기둥이 있다. 이는 1805년, 넬슨 제독(1758-1805)이 지휘하는 영국 함대가 나폴레옹의 프랑스-스페인 연합함대를 격파한 '트라팔가 해전'을 기념하기 위해 세워졌다. 스페인 남서해안의 대서양에서 벌어진 이 해전에서 프랑스-스페인 연합함대가 22척의 전함을 잃은 반면, 영국 함대는 단 한 척도 잃지 않았다. 그 바람에 나폴레옹의 영국 본토 상륙 기도는 무산되었지만, 넬슨 제독은 이 전투에서 총을 맞고도 지휘를 계속하다가 끝내 사망하였다. 그는 의식을 잃기 직전에 이런 말을 남겼다고 한다.

"신이여 감사합니다. 나는 임무를 완수했습니다."

"넬슨 제독을 생각하면 떠오르는 사람이 있을 텐데."
"혹시 이순신 장군을 말하려는 건가요?"
"맞아, 두 사람 모두 최후의 전투를 승리로 장식하고 죽은 국민 영웅이잖아. 그런데, 이순신 장군이 넬슨 제독과 근본적으로 다른 점이 무엇인지 알겠어?"
"글쎄요, 영국인과 한국인 차이?"
"아니야, 넬슨에게는 눈앞에 보이는 적군만 있었지만, 이순신에게는 눈앞의 적군뿐만이 아니라 등 뒤에서 칼을 겨누고 있는 못난 국왕 선조도 적이었지. 그런 점에서 이순신은 참으로 불쌍한 사람이었어."

김훈의 소설 『칼의 노래』에는 이런 상황이 문학적으로 멋지게 표현되었다.

"적의 칼과 임금의 칼 사이에서 바다는 아득히 넓었고 나는 몸 둘 곳 없었다."*

트라팔가 광장은 웅장하고 아름다운 석조 건물들로 둘러싸여 있다. 그중에서도 가장 눈에 띄는 것이 1837년에 세워진 현재의 국립 미술관 건물이다. 영국 신고전주의 양식인 '빅토리아 양식'의 대표작으로 알려진 이 건물은 우리가 방문했을 때는 외부 보수 공사

* 김훈, 『칼의 노래』, 문학동네

국립 미술관 전경(Wikipedia)

중이었다. 이 건물의 아름다운 외형을 볼 수 없어서 몹시 아쉬웠다. 우리는 공사 중인 현재의 모습을 사진에 담지 않았고, 독자들에게는 원래의 모습을 보여주기로 했다.

런던의 국립 미술관은 세계 최고의 회화 미술관 중 하나로, 이곳에서는 13~19세기의 회화 작품 약 2천3백 점이 전시되고 있다. 19세기에 국립 미술관 건물이 신축된 주된 이유는 파리의 루브르 박물관에 대한 경쟁심이라고 알려져 있다. 당시 영국 정부는 유럽 예술의 중심 공간이었던 루브르 박물관에 필적하는 예술 공간을 런

국립 미술관 전시실 전경

던에 만들려는 의도로 이 건물을 신축하였다. 당시의 런던은 경제적으로 세계의 중심 도시였지만 문화와 예술 분야에서는 파리에 필적하지 못했던 것이 사실이다. 그러나 회화만을 전시하는 국립 미

아르놀피니의 약혼

술관의 특성을 감안하면, 루브르가 아니라 파리의 오르세 미술관이 비교 대상인 듯하다.

이 미술관에서는 르네상스, 바로크, 인상파, 후기인상파 화가들의 작품들이 주로 전시되고 있다. 이곳에 있는 대표적인 명화 중 하나는 네덜란드의 르네상스 화가 반에이크가 1434년에 완성한 유화 <아르놀피니의 약혼>이다.

반에이크(1390-1441)는 유화의 발명자로 알려져 있는데, 천연 안료에 기름을 넣고 섞어서 광택이 있는 색채를 만들어냈다. 그의 작품 <아르놀피니의 약혼>은 이탈리아의 상인인 아르놀피니가 그의 약혼녀인 쉬나니와 함께 장사하러 네덜란드에 왔을 때 제작된 것이다. 화가는 그림 속의 두 사람이 약혼하는 현장에 증인으로 입회한 것으로 보인다. 그림 속의 거울에 그 장면이 비치고 있다.[*]

이곳에는 벨기에의 화가 루벤스가 1630년경에 제작한 대형 캔버스 유화 <평화의 축복에 대한 알레고리>가 전시되고 있다.

이 그림에서는 평화의 축복이 전쟁의 공포와 대조되어 묘사되고 있는데, 루벤스는 이 그림을 영국의 국왕 찰스 1세에게 선물로 가져가서 스페인과의 화평을 설득하였다고 한다. 이 그림의 한 가운데에는 아이에게 젖을 주려 하는 평화의 여신이 있고, 그 옆에는 반인반수의 목신이 먹음직스러운 과일을 행복한 표정으로 바라보고 있다. 루벤스가 묘사한 평화로운 세상이다.

루벤스(1577- 1640)는 역동성, 강한 색감, 그리고 풍만한 육체의 관능미를 추구하는 17세기 바로크풍의 최고 화가이다. 그는 20대에 약 8년간 이탈리아에 머무르며 그림 공부를 하였는데, 그곳에서 궁전이나 성당을 장식한 거대한 그림에 깊은 감명을 받았다고 한다.

"루벤스가 부귀영화를 누렸다는 이야기를 들었어요."
"당대 유럽 최고의 화가였으며 부자였던 그는 성에서 살면서 국왕, 귀족, 추기경들과 교류하며 지냈어. 또한 그는 스

* E.H. 곰브리치, 『서양미술사』, 예경

평화의 축복에 대한 알레고리

페인의 펠리페 4세와 잉글랜드의 찰스 1세에게 기사 칭호를 부여받은 외교관이기도 했고."

무엇보다도 루벤스에게는 거대한 화면을 손쉽게 구상하는 천부적인 재주가 있었다. 그의 그림은 궁정의 화려함을 돋보이게 하는 독보적인 존재였는데, 이것이 화가로서 그가 최고의 명성과 성공을 얻게 된 비결이었다.

루벤스보다 조금 후대의 네덜란드 바로크 화가인 렘브란트가 1663년에 제작한 작품 <프레데릭 리엘의 초상화>도 이곳에서 전시되고 있다.

프레데릭 리엘의 초상화

파리의 생라자르 역

렘브란트(1606~1669)는 유럽 미술사에서 가장 위대한 화가 중 한 사람이다. 반 고흐가 "렘브란트는 말로는 도저히 표현할 수 없는 비밀스러운 내면의 세계를 그림으로 그려냈다"라는 유명한 말을 한 적이 있다. 본시 초상화가였던 그는 '밝은 어둠'을 표현하는 것을 무척 좋아했다. 영혼의 세계와 빛의 세계를 결합한 그의 작품들은 수수께끼 같기도 하고, 감동적인 비밀에 휩싸여 있는 것 같기도 하다는 평가를 받았다.

"렘브란트 시대에 네덜란드에서 초상화가로 먹고살 만했나요?"

"그 시대에 네덜란드에서는 성공한 상인들이 많이 출현했는데, 그들은 자신들의 모습을 후손에게 남기려고 하였고, 게다가 명사들 사이에서 자신들의 초상화를 벽에다 걸어놓는 것이 유행이었다고 하더군."

"그럼 렘브란트도 잘살았겠군요?"

"그건 아니야. 그는 당대에는 인정을 못 받아서 가난하게 살다가 죽었어. 사후 100년이 지나고 비로소 그의 작품이 진가를 인정받았지."

우리는 이곳에서 인상파 작품 전시장에 오래 머물렀다. 인상파 전시실을 둘러보던 내 눈에 모네의 작품인 <파리의 생라자르역>이 들어왔다. 그때 내 입에서는 순간적으로 "바로 여기에 있었구나"라는 말이 튀어나왔다. 『서양미술사』에서는 이 작품이 파리 오르세 미술관에 있다고 했지만, 우리가 그곳에서는 발견하지 못했기 때문이다. 그 순간에는 잃어버렸다고 생각했던 지갑을 발견한 기분을 느꼈다.

연기처럼 솟아오르는 김 위로 유리 지붕을 통해 흘러드는 빛의 효과와 그러한 혼란 속에서 모습을 드러내고 있는 객차와 기관차를 묘사한 그림이라는 표현이 적절한 듯하다.*

이곳에서는 영국의 화가 윌리엄 터너가 1838년에 제작한 캔버스 유화인 <전함 테메레르>가 전시되고 있다. 이 그림은 트라팔가 해전에서 맹활약하며 영국 해군이 나폴레옹의 해군에 맞서 승전을 거두는 데 혁혁한 공로를 세운 전함 테메레르가 해체되기 위해 템스강에서 정박지로 예인되고 있는 장면을 묘사한 것이다.

* E.H. 곰브리치, 『서양미술사』, 예경

전함 테메레르

사이프러스 나무가 있는 곡물 밭

19세기 영국의 대표적인 인상파 화가였던 터너(1775-1851)는 런던에서 이발사의 아들로 태어나 여러 차례 이탈리아와 프랑스에 다녀온 후 당대 최고의 풍경화 화가가 되었다. 터너는 특히 빛을 아주 다양한 방법으로 묘사하면서 매혹적으로 표현했다.

"사람들이 〈전함 테메레르〉를 보면 무엇을 느낄까?"
"선박이 중심이 된 것이 아니고, 하늘이 중심이 된 것 같네요."
"그렇지. 터너의 작품에서 중점을 이루는 것은 빛의 효과를 하늘에 표현하는 것이었어."

우리는 이곳에서 반 고흐의 명화 <사이프러스 나무가 있는 곡물 밭>을 발견하고는 너무도 기뻤다.

작품 <사이프러스 나무가 있는 곡물 밭>은 그가 죽기 일 년 전이었던 1889년에 완성한 그림이다. 고흐는 자신의 격양된 심리 상태를 대담하고 자유로운 표현으로 이 그림에 담아냈다. 그의 화풍은 빛의 작용을 자신의 감성을 담은 색채로 표현하는 것이었다. 그에게 있어서 그림이란 자신의 격렬한 열정을 표출하는 신념의 행위였기 때문이다. 이로써 그는 후기인상파를 대표하는 화가가 되었다.

이곳에는 또한 후기인상파의 선구적 화가이며 '현대 미술의 아버지'라고 불리는 폴 세잔의 명화 <프로방스의 산>도 전시되고 있다.

프로방스의 산

세잔(1839-1906)은 생애 대부분을 고향 프로방스에 머물면서 작품 활동에 몰두하였다. 1890년에 완성된 <프로방스의 산>에서 그는 전경에 있는 바위의 단단하고 실감 나는 형태를 강조하여, 원근법을 사용하지 않으면서도 평면감을 상쇄시켰다.

"세잔과 고흐의 그림에는 어떤 공통점이 있나요?"
"그들은 대상의 사실적 묘사에는 관심이 없었어. 말하자면 '자연의 모방'을 의도적으로 버리고, 자신의 목적에만 들어맞으면 사물의 형태를 과장하거나 왜곡시켰어."

고흐 이야기가 나오면 반드시 따라 나오는 또 한 사람의 후기인상파 화가가 있으니 바로 고갱(1848-1903)이다. 유사한 이름을 가진 두 사람은 한동안 남프랑스에서 같이 살았지만, 성격 차이로 인하여 늘상 티격태격하다가 헤어졌다. 이후 고갱은 유럽을 떠나 남태평양의 타히티로 가서 반문명적 화풍의 작품에 몰두하였다.

폴 고갱, 〈우리는 어디에서 와서 어디로 가는가〉

후기인상파 대가인 세잔, 고흐, 고갱 세 사람은 모두 고독과 빈곤 속에서 대중들의 관심을 얻을 기대조차도 하지 않은 채 작품 활동을 하였다. 그들은 '눈으로 본 것을 그린다'라는 근대 유럽 미술의 사실주의적 기본 관념을 깨버린 반항아였고 동시에 현대 미술의 선구자였다.

국립 미술관에서 나온 우리는 트라팔가 광장 북동쪽 끝에 있는 세인트 마틴 교회당(St. Martin in the Field)으로 향했다.

세인트 마틴 교회당 전경

세인트 마틴 교회당 내부

뾰족한 형태의 신고전주의 양식으로 1721~1726년에 건축된 이 교회당은 바로크 양식이 유행하던 시절에 런던에 최초로 세워진 신고전주의 양식의 건물이다. 오늘날까지 트라팔가 광장을 빛나게 하는 건물 중의 하나인 이곳에서는 예배 외에도 음악회가 자주 열린다.

“이 건물은 바로크 양식의 성당과는 분위기가 다른 것 같아요. 화려하지 않고 소박하다고 할까.”

“그렇지. 개신교 교회는 복음주의적인 교리에 따라서 형식보다는 성서를 중시했고 그래서 실내 치장에는 관심이 덜했어.”

우리가 이곳을 방문한 연유는 교회당 건물을 구경하려는 것뿐만 아니라 잠시 쉬고 식사를 하면서 에너지를 충전하려는 의도에서였다. 이 건물의 지하에 분위기 좋은 카페가 있다는 이야기를 들었기 때문이다. 하지만 카페로 내려가는 입구를 교회당의 현관 부분에서 찾지 못해서 밖으로 나오니 바로 옆에 있는 자그마한 건물이 눈에 띄었다. 혹시 하는 마음으로 그 안으로 들어서니 교회당의 지하로 내려가는 계단이 보였다.

카페의 내부

구시가지 쇼핑가

이 카페는 예전에는 창고나 무덤으로 쓰였을 공간이 멋진 카페로 재탄생한 것이다. 어느 책에서 보았던 중세 수도원의 술 보관 창고 같다는 생각이 들었다. 중세풍의 이 공간에서 우리는 지친 다리를 쉬며 커피와 빵으로 가볍게 요기를 하였다.

우리는 트라팔가 광장에서 웨스트민스터로 향하는 거리를 걸었다. 런던 구시가지의 한복판답게 인파로 붐비는 생기 있는 거리에 고급 상점들이 즐비했다.

우리는 이왕이면 이곳에서 가족이나 지인들에게 줄 작은 선물들을 사기로 했다. 그때 생각난 것이 바로 차(tea)였다. 유럽 대륙의

차 상점

사람들은 커피를 주로 마시는데, 영국인은 대부분 홍차를 주로 마신다. 평소에 커피를 즐겨 마시는 나는 이곳 런던에서 홍차를 마셔보고는 그 맛에 반해버렸다. 그래서 우리는 인근에서 가장 크고 유명한 차 전문 매장으로 갔다. 참으로 넓고 세련된 매장에서 직원들이 친절하게 안내해 주었다. 이곳에서 구매한 차는 품질과 포장이 모두 좋아서 선물용으로 적당했다.

런던에서 우리가 마지막으로 찾아간 곳은 우리 숙소에서 마주 보이는 타워 브리지였다. 런던에 도착했던 첫날밤에 우리는 숙소 앞에서 타워 브리지의 야경을 보면서 환호했고 기념사진을 찍었다. 그리고는 런던을 떠나기 전날에야 가보기로 했으니 이 다리는 한동안 우리의 눈요깃감으로만 남아있었던 셈이다.

7 타워 브리지

런던탑이 보이는 템스강에 건설된 타워 브리지는 그 특별한 형태로 인해 런던의 명물이 되었다. 19세기 후반, 템스강 항만 지역에서 강을 건너는 교통량이 증가하여 새로운 다리를 건설해야 한다는 공론이 표면화되었다. 오랜 논쟁을 거쳐서 1886년에 이 다리의 공사가 시작되어 1894년에 완공되었다. 거대한 타워의 무게를 지탱하기 위하여 약 7만 톤 무게의 육중한 교각 2개가 강바닥 위에 세워졌다. 그리고 신고딕 양식으로 지어진 두 개의 타워는 석회석으로 외장 처리되었다.

타워 브리지 전경

다리의 길이는 244m이고, 두 개의 탑(높이 65m) 사이의 거리는 61m이다. 재미있게도 두 탑 사이에 강물의 표면으로부터 약 43m 높이로 두 줄의 보행자 전용 다리가 놓여있다. 이곳은 오늘날 전망대로서 인기를 누리고 있다.

높은 곳에 놓인 보행자 전용 다리는 '매춘부의 소굴'이라는 오명을 얻어서 1910년에 폐쇄되었다가 1982년에 다시 개방되었다. 19세기 후반의 런던에서는 매춘이 성행하여 약 8만 명의 매춘부가 있었다고 한다. 매춘부의 대부분은 시골에서 도시로 갓 올라왔거나 불황으로 일자리를 잃은 여성들이었다. 빅토리아 시대에 청교도 정신으로 무장한 시민계급은 성적인 측면에서 '내숭'이 심했기 때문에, 매춘부들은 주로 가난한 남성 노동자들을 상대하였다. 그래서 그녀들의 영업장은 주로 항구 근처 시설이나 빈민가였는데, 타워 브리지의 보행자 전용 다리도 그런 곳 중의 하나였다.

이 다리의 가운데 상판 부분은 큰 선박이 지날 때마다 위로 열려서 배가 지날 수 있도록 하지만, 이런 경우는 일 년에 약 1천 번 정도밖에 발생하지 않는다고 한다. 이 지역을 지나는 배는 대부분 크기가 작기 때문이다.

19세기 대영제국의 시대에 런던이 번영하면서 이곳에 수많은 명소가 만들어졌다. 그러나 다른 한편으로 이 시대에는 런던의 인구가 폭발적으로 증가하여 빈곤한 노동자들이 사는 지역도 팽창되었다. 타워 브리지 건너편의 템스강 남쪽 지구가 당시에 빈민가였다.

타워 브리지 상판 개방(Wikipedia)

"온갖 쓰레기와 오물이 길 위에 그대로 버려져 썩고 있으며, 웅덩이에 고인 물은 늘 그대로 방치되어 있다. 따라서 집들이 다닥다닥 붙어 있는 주거 환경은 열악하고 지저분할 수밖에 없으며, 질병이 발생하면 전체 주민의 건강이 위협받게 된다."*

* 주디스 코핀, 『새로운 서양 문명의 역사 하권』, 소나무

이 지역에는 저임금 장시간의 노동에 찌든 사람들이 살고 있었다. 그래서 이 시대의 문학은 자본주의를 비도덕적인 체제로, 그리고 자본가를 사악한 인간으로 묘사했다.

"런던의 빈민가에 관한 이야기는 디킨스 소설에서 읽었어요."

"디킨스가 그런 소설들을 써서 인기를 얻었고 결국 빅토리아 시대 영국의 '국민 작가'가 되었어. 그는 가난한 사람들에 대한 연민을 보였고, 악독한 인간들을 고발했지."

어느 청소부 아주머니의 이야기에 의하면 사람들이 매달 첫 월요일에 담배 가게 방으로 모여서 몇 푼 안 되는 돈을 내고 차를 마시면, 가게 주인이 디킨스의 최신 작품을 소리 내어 읽고 거기 모여 있는 사람들은 공짜로 이야기를 즐겼다고 한다.

"디킨스의 소설들이 그렇게 인기가 있었던 이유는 무엇인가요?"

"당시의 사람들은 그의 작품을 읽으면서 마치 현대인이 영화를 보면서 느끼는 것 같은 감동을 받았다고 하더군. 그것은 줄거리를 짜나가는 솜씨와 다양한 인물을 창조하는 능력 면에서 그가 탁월했기 때문이라고 평가되고 있어."

"디킨스가 소설을 써서 돈을 많이 벌었겠네요?"

"하하, 그렇지. 사람들 대부분이 도서 대여점에서 책을 빌려서 읽던 시절에도 디킨스의 책은 구매했다고 하니까. 게다가 디킨스는 자기가 쓴 소설을 들고 전국을 돌아다니면서 낭송회를 열어 돈을 벌기도 했어."

"하하, 그 사람 돈을 너무 밝힌 것 같네요."

"참, 런던이 공산주의의 출생지라는 사실을 알고 있었어?"

"혹시 마르크스를 말하려는 것인가요?"

"맞아. 독일 출신 마르크스가 1847년에 런던에 '공산주의자 동맹'을 설립하고는 강령으로 「공산당 선언」을 발표했으며, 30여 년을 런던에 살면서 자본주의 사회는 멸망하고 종국에는 공산사회가 도래할 것이라고 예언했어."

마르크스에게 자본주의는 부도덕하다기보다는 몰락이 예정된 불쌍한 존재였다. 「공산당 선언」은 이런 구절로 끝을 맺었다.

"부르주아 계급의 멸망과 프롤레타리아 계급의 승리는 똑같이 불가피하다."

마르크스 이야기만 나오면 항상 심각한 표정을 짓는 후배가 무겁게 입을 열었다.

"결과적으로 그의 예언은 틀렸잖아요."

"그렇지. 자본주의는 많은 문제가 있음에도 오늘날까지 번영하고 있으니까. 서유럽의 빈부차 문제는 20세기에 복지국가 건설로 개선되었어."

마르크스는 1883년에 런던에서 죽어서 하이게이트 공동묘지에 묻혔다.

마르크스 무덤

그의 장례식에서 친구이자 동지였던 엥겔스는 “인류 최고의 두뇌가 죽었다”라고 말했지만, 같은 날 다른 한쪽에서는 “인류 최고의 문제아가 죽었다”라는 비평이 나왔다. 그는 혁명가라기보다는 인류 역사 발전 법칙을 독특한 시각으로 제시한 대단한 이론가였다.

런던에서의 마지막 저녁

우리는 타워 브리지 위에서 템스강과 런던의 전경을 보면서 담소를 나누고는 서구 근대 문명 탐방을 끝내고 다리에서 내려왔다. 이제 우리에게 남은 일은 여행의 끝남을 자축하는 술자리였다.

우리는 홀가분한 기분으로 타워 브리지 인근에 있는 카페에서 술을 마시며 즐거운 저녁 시간을 보냈다.

"서구 근대 문명의 가장 큰 문제점은 무엇이었죠?"

"서구 근대 문명은 계몽주의의 이성에 기반을 두었으면서도 평화를 창조하기는커녕 온 세상을 전쟁터로 만들었어. 유럽은 전쟁의 포화가 끊이지 않는 땅이 되었고, 서구 국가들의 식민지 쟁탈로 인해 비유럽지역도 전쟁에 휘말렸지."

1, 2차 세계대전은 서구 근대사의 최악이자 마지막 참화였고, 그로 인해 전후에는 서구 근대 문명에 대한 많은 비판이 쏟아져 나오기도 했다.

그나마 '아픈 만큼 성숙'한 결과로 2차 대전 이후의 현대 서유럽은 세계에서 가장 평화로운 지역으로 변모하였다.

나가며

중국의 저명한 문명평론가 위치우위는 『유럽문화기행』에서 근대 서구 문명을 우수하다고 평가하면서도 다른 한편으로는 서구인의 오만을 비꼬기도 하였다. 유발 하라리는 『사피엔스』에서 현대인은 전 세계적 차원에서 심한 수준으로 서구식 복장을 하고 서구식 사고방식과 취향을 지니고 있다고 꼬집었다. 이 모든 이야기가 서구 근대 문명이 뛰어나며 세계적 차원에서 강한 지배력을 행사하고 있다는 사실을 의미하는 것임에는 의심의 여지가 없다. 그래서인지 우리처럼 비유럽 문명권에서 태어나 성장한 사람들은 어린 시절부터 근대화니 서구화니 하는 말을 귀에 딱지가 앉도록 들어왔다. 우리의 이번 여행은 오랜 세월 동안 어렴풋하게 느꼈던 서구 근대 문명의 실체를 현지에서 확인하려고 큰맘 먹고 나선 길이었다. 서구 문명사에서 자주 언급되는 뛰어난 건축물들과 예술 작품들을 직접 보면서 그 시대의 역사와 마주하는 듯한 감상에 빠지기도 하였다. 때때로 유서 깊은 레스토랑과 카페에서 맛깔스러운 식사와 술잔을 들면서 고즈넉하고 예스러운 분위기를 즐겼다. 그래서인지 여행에서 돌아온 이후로 우리에게는 두 발로 헤매고 다녔던 고달팠던 여정이 아름다운 추억으로 자리 잡았다. 파리와 런던 두 도시는 서구 근대 문명을 대표하는 도시이다. 오늘날에도 파리는 서유럽의 문화, 예술을 대표하는 도시로 그리고 런던은 서유럽의 금융 중심지로 남아있다. 두 도시를 모두 다녀온 사람들은 흔히 런던이 파리에 필적하지 못한다는 말을 한다. 물론 상당히 수긍이 가는 평가이다. 하지만 런던은 파리와 비교해서 더 많은 다양성을 담고 있다. 예스러움과 현대성의 조화, 상업성과 예술성의 결합이라는 측면에서 런던은 파리보다 매력적이다.

우리는 매일매일 일상 속에서 시간과 돈에 쫓기며 살아가고 있다. 그러면서 삶은 점차 건조해지고 황폐해지고 있지만, 그것이 피할 수 없는 인생길이라고 생각할 뿐 극복할 노력조차도 하지 않고 있다. 하지만 우리가 눈을 들어 세상을 살펴보면 삶을 풍요하게 만들 방법은 사방에 존재한다. 삶에는 무수히 많은 가능성이 열려 있고, 이 세상에는 끝없는 미지의 세계가 존재한다. 우리를 둘러싼 미지의 세계를 하나씩 열어 보는 탐구의 삶으로 우리는 행복해질 수 있고, 매일 새로 태어날 수 있다. 다른 문명에 관한 탐구는 좁은 틀 속에 갇힌 우리의 삶을 넓은 대양으로 나아가게 해 세상의 참맛을 알 수 있게 해준다.

파리, 런던으로 떠나는 서유럽 문명 기행

초판 1쇄 발행일 2023년 6월 26일
지은이 김종천 · 김태균
펴낸이 박영희
편　집 조은별
디자인 김수현
마케팅 김유미
인쇄·제본 AP프린팅
펴낸곳 도서출판 어문학사
서울특별시 도봉구 해등로 357 나너울카운티 1층
대표전화: 02-998-0094 / 편집부1: 02-998-2267, 편집부2: 02-998-2269
홈페이지: www.amhbook.com
인스타그램: amhbook
페이스북: www.facebook.com/amhbook
블로그: 네이버 http://blog.naver.com/amhbook
e-mail: am@amhbook.com
등록: 2004년 7월 26일 제2009-2호

ISBN 979-11-6905-017-3
정가 18,000원